LA VOIE DU MAGICIEN

Début de lecture
à Paris, 27 Mars 2010

Merci Geneviève
:)

DR DEEPAK CHOPRA

LA VOIE DU MAGICIEN

VINGT LEÇONS SPIRITUELLES
POUR TRANSFORMER VOTRE VIE

TRADUIT DE L'AMÉRICAIN
PAR DANIEL ROCHE

Titre original :
THE WAY OF THE WIZARD
Harmony Books, N.Y.

PREMIÈRE PARTIE

ENTRER DANS LE MONDE
DU MAGICIEN

On me demande souvent pourquoi je me suis autant intéressé aux magiciens, alors que je suis originaire d'Inde. Ma réponse est simple : en Inde, les gens croient encore à l'existence des magiciens. Mais qu'est-ce qu'un magicien ? Un être qui ne se définit pas tant par ses « pouvoirs magiques » que par sa capacité à transformer la vie.

*Un magicien a le pouvoir de changer
la peur en joie, la frustration en
épanouissement.*

*Un magicien a le pouvoir de nous libérer
des limites temporelles.*

*Un magicien nous entraîne au-delà des limites
et nous projette dans l'illimité.*

Autrefois en Inde, quand j'étais enfant, je connaissais déjà le pouvoir des magiciens. Il arrivait que des vieillards en sari blanc et sandales nous rendent visite, et le petit garçon fasciné devinait déjà en eux des êtres d'exception. Ils étaient parfaitement sereins ; ils rayonnaient de joie et d'amour. Ils semblaient complètement inaccessibles aux oscillations émotionnelles de la vie quotidienne. Nous les appelions gourous, guides spirituels. Mais il me fallut longtemps pour comprendre que gourous et magiciens sont identiques. Chaque civilisation a eu ses maîtres, ses voyants, ses guérisseurs ; gourou est le mot indien qui désigne le détenteur de la sagesse spirituelle.

En Occident, le magicien s'incarne surtout dans la figure de l'alchimiste, cet être capable de changer en or un métal ordinaire. L'alchimie est tout aussi familière aux Indiens, puisqu'ils l'ont inventée. Mais le terme d'alchimie a pour eux une valeur métaphorique. Il désigne la capacité à transformer un être humain en or, à changer nos sentiments primitifs — la peur, l'ignorance, la haine et la honte — en substances les plus précieuses qui soient : l'amour et l'épanouissement. Ainsi un maître capable de vous apprendre à devenir une personne libre et aimante est par définition un alchimiste... et l'a toujours été.

Quand je suis entré au lycée de New Delhi, j'en savais déjà long sur Merlin, le plus célèbre magicien de l'histoire de l'Occident. Comme tout un chacun, je l'ai immédiatement aimé. Tous les aspects de son univers m'ont rapidement captivé. Je me rappelle encore les douzaines de strophes d'*Idylles du roi*, le poème épique de Tennyson, qu'on nous faisait apprendre par de longues et chaudes journées d'été. J'ai dévoré tous les autres textes relatant la légende d'Arthur que je pouvais me procurer.

Il ne me paraissait pas insolite de tout savoir sur les paysages verdoyants et tempérés de Camelot, alors que je ne connaissais qu'un féroce soleil tropical, ni de vouloir chevaucher comme Lancelot alors que j'aurais suffoqué en armure, et je ne mettais pas en doute l'existence de la grotte de cristal de Merlin, malgré les avis contraires des commentateurs pour qui les magiciens ne sont que des êtres de légende.

Je savais que c'était faux parce que le jeune Indien que j'étais les avait rencontrés.

Pourquoi nous avons besoin des magiciens

Cela fait trente ans que je réfléchis à la science des magiciens. J'ai fait le pèlerinage de Glastonbury, j'ai parcouru l'ouest de l'Angleterre, escaladé le Tor et vu la colline où Arthur et ses chevaliers sont censés reposer. Mais un penchant plus mystérieux, une soif de transformation continue de me ramener à la magie. J'ai senti chez mes contemporains un besoin grandissant de renouer avec cette science. Depuis que je suis adulte, je consacre ma vie professionnelle à parler et à écrire sur les moyens de parvenir à une liberté et à un épanouissement complets. Et j'ai compris, tout récemment, que c'était de l'alchimie que je parlais.

J'ai finalement décidé qu'une manière stimulante d'aborder ce sujet serait d'évoquer une des plus merveilleuses amitiés jamais relatées, celle de Merlin et d'Arthur dans la grotte de cristal. Dans ce livre, la grotte de cristal est un sanctuaire situé dans le cœur de l'homme. C'est un refuge sûr où s'exprime une voix pleine de sagesse et d'où est banni le tumulte du monde extérieur. La grotte de cristal a toujours abrité et abritera toujours un magicien — il suffit d'entrer et d'écouter.

Le monde d'aujourd'hui est tout aussi magique que celui des générations passées. J. Campbell, le grand professeur de mythologie, disait que toute personne attendant au coin d'une rue le signal de traverser aspire au fond à pénétrer dans un univers d'aventures et de prouesses héroïques. Incapables de saisir notre chance, nous traversons la rue sans remarquer l'épée fichée dans le rocher au bord du trottoir.

Notre voyage dans le miraculeux peut commencer dès maintenant. La voie du magicien n'appartient pas à un passé révolu. Elle est toujours et partout possible. Elle appartient à tous et à personne. Le but de cet ouvrage est simplement de vous restituer ce qui vous appartient. Comme le disent les deux premières phrases de la première leçon :

Chacun de nous abrite un magicien.

Celui-ci voit tout, il sait tout.

Cette proposition sera la seule du livre qu'il vous faudra accepter sans preuves. Une fois que vous aurez découvert votre magicien intérieur, l'initiation progressera d'elle-même. Cette sorte d'apprentissage spontané a longtemps joué un rôle primordial dans ma propre vie quotidienne, alors que j'attendais, que je guettais les indications de ce guide intérieur. Il n'existe pas de plus fascinante manière d'apprendre. J'entendais la voix de Merlin dans les rires captés au vol à l'aéroport, dans les bruissements de branches d'arbres sur le chemin de la plage, et même à la télévision. Une gare routière peut se transformer en grotte de cristal si vous lui en donnez la possibilité.

Pourquoi la voie du magicien nous est-elle nécessaire? Pour nous hisser de la vie quotidienne, triviale et routinière, vers un domaine de sens que nous avons tendance à rejeter comme irrationnel, alors qu'il est immédiatement accessible. Être en vie signifie avoir gagné le droit de dire, d'être, de faire ce que vous voulez. Camelot est le symbole de cette forme de liberté. C'est pourquoi nous considérons rétrospectivement Camelot avec tant de mélancolie et d'admiration. La vie des hommes n'a plus jamais connu une telle liberté.

Un disciple alla un jour voir un grand sage et lui dit : « Pourquoi ai-je l'impression de suffoquer intérieurement, comme si je voulais crier? » Le maître le regarda et répondit : « Parce que tout le monde est ainsi fait. »

Chacun de nous souhaite s'épancher dans l'amour et la créativité, explorer sa nature spirituelle, bien que cette volonté soit souvent tenue en échec. Nous nous sentons comme enfermés en nous-mêmes. Certains ont toutefois réussi à franchir les limites qui restreignent tellement la vie. Voici ce que dit le poète perse Rumi :

« Tu es l'esprit souverain pris au piège des

circonstances, comme le soleil que masque l'éclipse. »

Celui qui proteste ainsi contre les bornes spatio-temporelles qui entravent les êtres humains est un magicien. Mais notre éclipse est provisoire. Nous apprenons auprès d'un magicien dans le but de découvrir le nôtre. Or, trouver le guide intérieur signifie se trouver soi-même. Soi-même, c'est un soleil inextinguible, parfois éclipsé certes, mais qui, une fois l'ombre dissipée, ressurgit dans toute sa splendeur.

Comment apprendre avec le magicien

Ce livre comprend vingt leçons qui expriment toutes le point de vue du magicien. Chaque leçon commence par quelques aphorismes, extraits condensés de sa sagesse, qui vous aideront à transcender la réalité ordinaire. Lisez-les et laissez-les décanter en vous. N'espérez pas de résultat immédiat, tentez simplement l'expérience. Il ne s'agit pas d'un travail, d'un effort à produire : l'effort, semblable à une lutte pour s'extraire de sables mouvants, ne ferait que vous enfoncer encore plus.

Le magicien intérieur ne demande qu'à s'exprimer, et cela est valable pour chacun d'entre nous. Encore faut-il lui en donner la chance, lui ouvrir une porte. À l'instar des koans zen, les aphorismes permettent cette ouverture en modifiant notre perception et, par conséquent, notre réalité.

Nous devons apprendre à réentendre la voix

du magicien dans la vie quotidienne. J'ai cité la première phrase de la première leçon : *Chacun de nous abrite un magicien. Celui-ci voit tout, il sait tout.* Voici le reste de la leçon :

Le magicien transcende l'opposition
Lumière/Obscurité, Bien/Mal, Plaisir/Douleur.
Tout ce que voit le magicien plonge ses racines
dans un monde invisible.
La nature reflète les humeurs du magicien.
Le corps et l'esprit peuvent dormir
mais le magicien reste toujours en éveil.
Le magicien détient le secret de l'immortalité.

Si ces phrases vous procurent un léger choc, un sursaut, si vous avez l'impression de les reconnaître, elles ont atteint leur but. Il est en effet saisissant de découvrir que nous ne sommes pas des êtres bornés mais des enfants du miraculeux. Telle est la vérité, le trait essentiel de l'être humain, trop longtemps occulté.

J'ai rassemblé une centaine de ces aphorismes, illustrés par des récits tirés de l'histoire de Merlin et d'Arthur. Ils ne sont pas extraits des légendes médiévales, ce sont des paraboles que j'ai situées à cette époque. Parfois, l'histoire qui illustre les aphorismes semble, d'un point de vue strictement logique, ne pas coïncider exactement avec eux. C'est délibéré; en effet, l'esprit linéaire, avec son besoin de tout ordonner, n'est pas la seule partie de vous-même qui va suivre la voie du magicien. Votre imagination, votre espoir, votre créativité et votre amour seront tout aussi nécessaires à votre initiation.

En bref, la voie du magicien est la voie de l'esprit. Mais la spiritualité ne s'oppose pas à la rationalité, elle englobe la raison qui n'en est qu'une facette. Je m'adresse à l'esprit linéaire dans un chapitre intitulé « Comprendre la leçon », qui explique les aphorismes et les récits. Et enfin, dans « Vivre avec la leçon », je vous aide à intégrer la sagesse du magicien à votre expérience personnelle.

« Vivre avec la leçon » représente la partie active de la voie du magicien. Mes suggestions ne sont qu'un commencement, autant de tentatives pour susciter votre propre participation. En dernier ressort, c'est votre compréhension qui modifiera votre réalité.

« Vivre avec la leçon » comprend quelques exercices qui peuvent sembler passifs, parce que la plupart d'entre eux sont des expériences de pensée. Qu'est-ce qu'une expérience de pensée ? C'est une façon de mener votre esprit dans de nouveaux endroits, de modifier votre point de vue. Voici une vérité profonde et importante que nous ont transmise les magiciens : si vous voulez changer le monde, modifiez votre attitude envers lui. Un jour, Einstein, allongé sur un divan, ferma les yeux et eut la vision d'un homme voyageant à la vitesse de la lumière. Tirant parti de cette fascinante image, il se livra à différentes expériences de pensée, qui étaient apparemment des rêveries. Au bout de quelques années, toutefois, la nature elle-même confirma les visions transcendantes d'Einstein, et la plupart des savants furent bien obligés d'aligner leurs positions sur les siennes.

Si une rêverie sur un divan peut changer le monde, les expériences de pensée doivent receler un pouvoir extraordinaire. Rien n'est jamais vraiment appris avant d'avoir été vécu. Quand la raison, l'expérience et l'esprit s'unissent, la voie du magicien est ouverte, l'alchimie peut entrer en scène. Votre sagesse intérieure est comme une étincelle ; une fois enflammée, on ne peut plus l'éteindre.

Pour me résumer, je propose la démarche suivante :

1. Recueillez-vous quelques instants avant de lire une leçon.

2. Lisez les aphorismes, puis arrêtez-vous quelques minutes pour vous en imprégner. Relisez-les aussi souvent que nécessaire. Tirez parti de vos propres réactions et intuitions : ce sont souvent les meilleurs éléments de votre apprentissage.

3. Continuez et lisez le reste de la leçon : l'histoire de Merlin et d'Arthur, le chapitre « Comprendre la leçon » et le chapitre « Vivre avec la leçon ».

4. Si « Vivre avec la leçon » contient un exercice pratique (c'est très souvent le cas), accordez-vous quelques minutes pour cet exercice. Il sera bénéfique de le répéter au cours de la journée si vous voulez en tirer le meilleur profit.

Relisez chaque leçon aussi souvent que vous le désirez, une ou plusieurs fois ; peu importe qu'elle vous accompagne un jour ou une semaine, il n'y a pas de programme préétabli. Cependant, plutôt que de vouloir en apprendre le maximum d'un coup, il est préférable de vivre au moins un jour avec chaque leçon.

Les sept étapes de l'alchimie

La troisième partie de cet ouvrage expose les phases de la métamorphose du disciple sous la direction du magicien. Je les appelle les sept étapes de l'alchimie, qui commencent à la naissance et conduisent finalement à une transformation totale. L'alchimie est la science de la transformation des choses en or, la substance parfaite, inaltérable. L'or est le symbole de l'esprit dans toute sa pureté. Si un être humain s'affranchit de toutes les limitations, rejette toute peur et prend conscience du pur esprit qu'il abrite, alors les sept étapes de l'alchimie sont franchies.

C'est l'exploration la plus merveilleuse qui soit. À l'époque d'Arthur on l'aurait appelée une quête, et le but suprême d'une telle quête était toujours le Saint-Graal, le symbole le plus prodigieux de l'esprit pur. L'alchimie et le Graal sont donc la même chose pour moi. Ils expriment tous deux une recherche radicale de l'intemporalité qui procure ce dont chacun rêve — l'amour, la joie, l'accomplissement spirituels purs.

Que vous lisiez d'abord la deuxième ou la troisième partie n'a pas d'importance. Chaque partie a un style et une démarche propres, mais toutes deux exposent le point de vue du magicien. C'est toujours Merlin qui parle et son but est invariable — enseigner à chacun de nous comment atteindre la perfection qui constitue notre trésor suprême.

Enfin ce livre entreprend une quête qui substituera à une vie dominée par l'ego et tous ses conflits une nouvelle vie gouvernée par le merveilleux. Il n'existe pas deux êtres apprenant au même rythme, mais la soif de merveilleux est telle en chacun que j'aimerais pouvoir être à vos côtés quand cette connaissance du magicien commencera à s'affirmer, marquant le début de votre nouvelle vie. C'est le complet épanouissement de votre potentiel spirituel qui vous attend.

N.B. En tant que voyant, le magicien n'a pas de genre bien qu'on évoque ici Merlin au masculin (de même que Dieu, prophète et tant d'autres mots désignant des êtres qui transcendent la division féminin-masculin). Quand je parle du magicien, je pense aussi bien aux hommes qu'aux femmes. D'ailleurs, ce sont avant tout les femmes qui ont favorisé le retour du magique dans nos sociétés.

DEUXIÈME PARTIE

LA VOIE DU MAGICIEN

— Il existe un enseignement appelé la voie du magicien, déclara Merlin. En as-tu entendu parler?

Le petit Arthur, qui essayait en vain de faire du feu, leva les yeux. Dans cette contrée, par ces humides matins de printemps, allumer un feu était souvent une gageure.

— Non, je n'en ai jamais entendu parler, répondit Arthur, après réflexion. Des magiciens? Veux-tu dire que leur comportement est différent du nôtre?

— Non, ils agissent exactement comme nous, reprit Merlin.

Impatienté par les tentatives maladroites de l'enfant pour construire son feu, il claqua dans ses doigts, et le tas de petit bois trempé entassé par Arthur s'enflamma. La flambée s'éleva en un instant. Merlin ouvrit alors ses mains et fit apparaître de la nourriture — deux pommes de terre rousses et une poignée de champignons sauvages.

— Enfile-les sur des branches et fais-les cuire si tu veux, dit-il.

Arthur acquiesça placidement. Il avait à peu

près dix ans. Merlin était la seule personne qu'il eût jamais connue. Aussi loin que remontaient ses souvenirs, ils avaient toujours vécu ensemble. Il devait avoir eu une mère, mais il n'avait gardé aucun souvenir, même flou, de son visage.

Le vieillard à la longue barbe blanche flottante avait fait valoir ses droits sur le bébé royal quelques heures seulement après sa naissance.

— Je suis le dernier gardien de la voie du magicien, dit Merlin. Et peut-être seras-tu le dernier à l'apprendre.

Arthur posa ses brochettes sur le feu, puis regarda par-dessus son épaule, fasciné. Merlin, un magicien? L'idée ne lui avait jamais traversé l'esprit. Tous les deux vivaient seuls dans la grotte de cristal au milieu de la forêt. La lueur de la grotte les éclairait. Merlin avait changé Arthur en poisson pour lui apprendre à nager. Quand il avait besoin de nourriture, soit elle surgissait, soit Merlin lui en tendait. N'était-ce pas ainsi pour tout le monde?

— Arthur, il faudra bientôt que tu partes... poursuivit Merlin. Prends garde que cette pomme de terre ne tombe dans les cendres!

L'enfant avait évidemment déjà fait tomber la pomme de terre. Comme Merlin vivait à contretemps, ses avertissements arrivaient toujours trop tard, une fois l'incident consommé. Arthur ôta la suie de la pomme de terre et la renfila sur sa brochette en bois de tilleul.

— Ce n'est pas grave, dit Merlin. Tu n'auras qu'à manger celle que tu as salie.

— Comment cela, partir ? demanda Arthur.

Il ne s'était jamais aventuré au-delà du village voisin où il avait parfois accompagné Merlin au marché et, dans ces moments-là, tous deux s'enveloppaient de longs manteaux à capuche qui les rendaient méconnaissables. Mais l'enfant avait attentivement observé ses semblables et ces observations l'avaient troublé.

Merlin plissa les yeux et lança à son disciple un regard singulier.

— Je vais t'envoyer dans le marécage ou, comme disent les humains, le monde. Je t'ai tenu à l'écart du marécage durant toutes ces années et ce que je t'ai appris, tu ne l'oublieras pas.

Merlin s'arrêta pour ménager son effet et reprit :

— La voie du magicien.

Puis ils gardèrent le silence comme de vieux compagnons le font volontiers. Le vieillard et l'enfant respiraient presque au même rythme, Merlin devait donc sentir l'agitation — comme une panthère en cage — qui s'était emparée des pensées d'Arthur.

Ils déjeunèrent et le petit garçon alla se laver dans l'étang bleu azur, en contrebas de la grotte. Quand il revint, Merlin était étendu au soleil sur son rocher préféré. Au bout d'un moment l'enfant ouvrit la bouche pour lui demander :

— Qu'est-ce qui va t'arriver ?

— À moi ? Ne te crois pas indispensable ! Je

m'en tirerai parfaitement bien sans ton aide, merci.

Au moment même où il laissa échapper cette sèche repartie, Merlin sut qu'il avait blessé le garçon. Mais les magiciens détestent s'excuser. Un arc en frêne blanc, long et élégant, apparut sur le sol à côté d'Arthur qui le ramassa prestement et commença à jouer avec. Dans leur code privé, il savait que c'était ainsi que le vieillard lui présentait ses excuses.

— Ce n'est pas de moi que je me soucie, poursuivit Merlin, mais de la disparition de la connaissance. Comme je le disais, tu seras peut-être le dernier à avoir appris la voie du magicien.

— Alors je m'assurerai qu'elle ne se perde pas, promit Arthur.

Merlin acquiesça. Il n'évoqua plus la voie du magicien ce jour-là ni les jours et les semaines qui suivirent. Un matin de juin, toutefois, au réveil, Arthur trouva son lit de branches de pin couvert de neige. Il frissonna, s'assit, secoua sa couverture en fourrure de cerf et un tourbillon de flocons blancs voleta autour de lui.

— Je pensais que tu ne faisais cela qu'en décembre, dit-il.

Merlin ne répondit rien. Debout, raide comme un piquet, il était planté au milieu du cercle de neige qui recouvrait le sol de leur campement. Devant lui se dressait une étrange apparition, un gros rocher dans lequel était fichée une épée. Malgré la température glaciale, la neige fondait sur le rocher et la haute épée d'acier martelé scintillait, immaculée.

— Qu'est-ce que c'est ? demanda Arthur.

La vue du rocher l'émut profondément sans qu'il comprenne pourquoi.

— Rien, rétorqua Merlin. Mais ne l'oublie pas.

Au bout de quelques instants, l'épée et le rocher commencèrent à s'estomper et, quand Arthur revint de sa toilette matinale, la clairière de Merlin s'était réchauffée, tous les flocons de neige avaient fondu au soleil de l'été et le rocher avait disparu comme par enchantement. Comprenant que l'apparition était l'adieu de Merlin, un geste d'adieu destiné à rester gravé dans sa mémoire, l'enfant faillit crier.

Ce qu'il advint d'Arthur, quand il s'en alla dans le monde, appartient à la légende. Il arriva un jour à Londres par un matin enneigé de Noël et se retrouva devant la cathédrale où le rocher et l'épée avaient mystérieusement réapparu. À la stupéfaction de la foule des fidèles sortant de l'église, il arracha l'épée et proclama son droit au trône. Il combattit longuement et durement pour supplanter ses nombreux rivaux puis choisit Camelot comme capitale de son royaume. Les secrets de la voie du magicien l'accompagnèrent tout au long de sa vie. Enfin il mourut et entra dans l'histoire, laissant aux générations futures le soin de se demander ce que Merlin avait bien pu enseigner à son disciple durant toutes ces années passées dans la forêt, avant qu'Arthur ne gravisse le rocher et ne s'empare de la garde ornée de pierreries qui symbolisait son destin.

Après la chute de Camelot, le monde d'Arthur fut balayé en très peu de temps. Son pays sombra dans les dissensions, oublia sa science. Merlin avait été le dernier de son espèce, exactement comme il l'avait prédit : le dernier magicien de l'histoire de l'Occident. Mais Merlin ne pensa jamais que la voie du magicien dépendait de la façon dont évoluerait l'histoire. « Ma connaissance est la compagne du vent, aimait-il dire. Respire et tu t'en imprégneras. » La connaissance des magiciens étant intemporelle, son foyer se situe nécessairement hors du temps. Son chemin, toujours accessible, mène en un lieu bien réel qui ne se trouve nulle part. Tout cela s'éclaircira au fur et à mesure que nous écouterons Merlin parler.

Leçon 1

Un magicien existe en chacun de nous.
Ce magicien voit et sait tout.

Le magicien est au-delà des oppositions
Lumière/Obscurité, Bien/Mal, Plaisir/Douleur.

Tout ce que voit le magicien plonge ses racines
dans un monde invisible.

La nature reflète les humeurs du magicien.

Le corps et l'esprit peuvent dormir,
mais le magicien reste toujours en éveil.

Le magicien détient le secret de l'immortalité.

— Prends, dit un jour Merlin en tendant soudain un bol de soupe à Arthur. Goûte.

Arthur hésita un peu et prit le bol. C'était un délicieux potage de venaison et de racines sauvages que Merlin avait saupoudré de mystérieuses épices à son insu. La soupe était irrésistible et, au moment où Arthur y replongeait avidement sa cuiller, Merlin lui arracha le bol des mains.

— Attends, encore, marmotta Arthur, la bouche pleine.

Merlin secoua la tête.

— Le festin est tout entier dans la première cuillerée, sermonna-t-il.

Arthur, d'abord envahi par la frustration et le découragement, finit par remarquer qu'il était aussi satisfait que s'il avait avalé tout le potage. Plus tard, alors qu'Arthur sommeillait sous un arbre, Merlin s'approcha silencieusement et déposa un grand bol de soupe à côté de lui. En s'éloignant, le mage murmura :

— Souviens-toi de ceci : à quoi serviraient toutes ces années d'école de magie si je n'étais pas capable de tout te montrer dès la première leçon ?

Comprendre la leçon

Il faut une vie entière pour assimiler l'enseignement du magicien, mais tout ce qui sera expliqué au fil des ans et des décennies est déjà présent dans la première leçon de Merlin. C'est le moment où le magicien se présente. Il dévoile le sens de sa vie, consacrée aux énigmes les plus profondes, celles de la mortalité et de l'immortalité. Sa démarche est toujours magique. C'est pourquoi Merlin n'a pas véritablement de forme physique : pour lui, les apparences physiques sont illusoires. Il a vu naître et mourir des mondes, il a survécu à tous les bouleversements, et sa réaction est toujours demeurée identique : le magicien voit.

Les magiciens sont des voyants... Ils voient la réalité comme un tout, par-delà ses innombrables facettes.

— As-tu toujours été un magicien ? demanda Arthur.

— Comment aurais-je pu l'être? répondit Merlin. Au début, quand je me promenais, comme toi, et que je rencontrais quelqu'un, je n'apercevais qu'une silhouette de chair et d'os. Mais après quelque temps, je remarquai qu'une personne habite une maison qui prolonge son corps — les êtres malheureux affligés d'émotions tumultueuses habitent des maisons désordonnées. Les êtres heureux et épanouis habitent des maisons ordonnées. Ce n'était qu'une observation mais, en y repensant peu après, je me suis dit qu'en voyant sa maison j'en apprenais plus sur cet être.

« Puis ma vision s'est élargie. Quand je rencontrais une personne, je ne pouvais m'empêcher de voir sa famille et ses amis. Ils étaient aussi des prolongements de l'être qui m'en disaient long sur sa vraie personnalité. Et ma vision a continué de s'agrandir. J'ai commencé à percer le voile de l'apparence physique. Je voyais les émotions, les désirs, les peurs, les souhaits et les rêves. Ce sont aussi des parties visibles de l'être pourvu qu'on ait des yeux pour les voir.

« Je me suis mis à observer l'énergie qui émane de chaque personne. À ce moment l'assemblage physique de chair et d'os était devenu presque insignifiant et bientôt j'ai découvert, en chaque personne que je rencontrais, des mondes englobant d'autres mondes. Et j'ai compris que tout être vivant est à lui seul l'univers entier, revêtu d'un masque chaque fois différent.

— Est-ce vraiment possible ? demanda Arthur.

— Le jour viendra où tu comprendras que tu portes en toi l'univers entier et, ce jour-là, tu deviendras un magicien. En tant que magicien, tu n'habites pas le monde, tu le contiens.

Tout au long de l'histoire, le magicien a été recherché par ses contemporains où qu'il vécût — dans les forêts profondes, dans les grottes, dans les tours ou dans les temples. Il a aussi voyagé sous différents noms — philosophe, magicien, voyant, chaman, gourou. « Dites-nous pourquoi nous souffrons. Dites-nous pourquoi nous vieillissons et mourons. Dites-nous pourquoi nous sommes incapables de mener une vie heureuse. » Seul un magicien pouvait soulager les mortels du fardeau de tant de questions difficiles.

Après avoir écouté très attentivement, les magiciens, les maîtres et les gourous faisaient tous la même réponse : « Je peux vous délivrer de toute cette ignorance et de toute cette souffrance si vous comprenez que je suis en vous. Cette personne distincte à laquelle vous croyez vous adresser, c'est vous-même ; nous sommes un et, de ce point de vue, aucun de vos problèmes n'existe. »

Quand Arthur se lamenta un jour que Merlin le garde dans la forêt en ne lui offrant que de brèves excursions dans le monde, Merlin bougonna :

— Le monde ? Comment crois-tu que vivent ces gens, ceux que tu as vus au village ? Ils ne se soucient que du plaisir et de la douleur, poursuivant l'un et fuyant désespérément l'autre. Vivants, ils gâchent leur vie à s'inquiéter de leur mort. La perspective de la richesse et de la pauvreté les obsède constamment et alimente leurs pires angoisses.

Par bonheur, le magicien intérieur ignore ces états. Parce qu'il voit la vérité, il est inaccessible à son contraire, car le jeu des contraires — plaisir et douleur, richesse et pauvreté, bien et mal — devient illusoire le jour où l'on assimile la vision plus ample du magicien. On ne saurait pourtant nier que ce drame de la vie quotidienne soit bien réel pour les gens ordinaires. Le spectacle superficiel de la vie n'est la vie que si l'on se fie aux impressions de nos sens.

Les mortels se transforment en magiciens pour se délivrer de cette obsession de l'apparence et pour donner une réponse à leur quête de sens. L'existence doit être quelque chose de plus que cette vie-là, ont toujours pensé les mortels, sans savoir exactement en quoi consistait ce « quelque chose ».

— Passe ton temps à sonder non *ce* que tu vois mais *le pourquoi* de ce que tu vois, conseilla Merlin à Arthur.

Conclusion de la première leçon : regardez par-delà votre moi limité pour découvrir votre personnalité illimitée. Percez le masque de la mortalité et découvrez le magicien. Il est en vous et seulement là. Quand vous l'aurez trouvé, vous deviendrez également voyant. Mais la vision se développera à son heure, progressivement. Vous devez auparavant éprouver le sentiment que la vie dépasse ce que vous vivez. C'est comme une voix ténue qui murmure : « Trouve-moi. » Cette voix est calme, paisible, réconciliée et insaisissable. C'est la voix du magicien et c'est aussi la vôtre.

Vivre avec la leçon

Les préceptes de Merlin agissent subtilement, comme l'eau s'instille dans les profondeurs de la terre. L'eau qui jaillit du sol aujourd'hui est la pluie, tombée il y a des milliers, voire des millions d'années. On ne sait pas grand-chose sur la vie de cette eau cachée, où elle va, ce qui lui arrive au sein des roches souterraines invisibles. Mais un jour, propulsée par la gravité, elle remonte des profondeurs et, surprise ! jaillit totalement pure et fraîche.

La parole de Merlin agit comme cette eau. Si vous vous recueillez pendant quelques minutes, les mots vont commencer à s'instiller en vous. Laissez-les vous imprégner et laissez la sagesse faire son œuvre. N'attendez, n'anticipez aucun résultat immédiat, mais soyez attentif à tout ce qui arrive. Tout ce qui arrive est utile.

La première leçon enseigne à découvrir votre magicien intérieur et à comprendre son point de vue, très différent du point de vue de l'esprit ou de celui des émotions. Les émotions procèdent par sensation et réaction. Elles sont aussi réactives que les tentacules d'une anémone de mer qui tressaillent quand on les effleure. La douleur provoque une contraction émotionnelle; le plaisir entraîne dilatation et soulagement.

L'esprit agit en revanche de façon beaucoup moins immédiate. Il contient un immense catalogue de souvenirs qu'il brasse continuellement. Il compare le nouveau avec l'ancien et rend sa décision : telle expérience est bonne, telle autre mauvaise, ceci vaut la peine d'être répété, cela non... Ainsi les émotions réagissent immédiatement, instinctivement à toutes les situations, et leur spontanéité évoque celle d'un nourrisson qui sourit ou pleure si facilement. L'esprit, lui, consulte sa banque de données et réagit avec un temps de retard.

Le magicien ignore ces deux types de réaction, l'immédiate et la différée — Merlin est, tout simplement. Il voit et accepte le monde tel qu'il est. Cet acte n'a rien de « passif » pour autant. L'attitude du magicien à l'égard du monde obéit à une intuition fondamentale : « Tout ceci est moi-même. » Par conséquent, en acceptant le monde tel qu'il est, le magicien l'appréhende dans la lumière de l'acceptation de soi, qui est la lumière de l'amour.

Il peut sembler étrange que le magicien s'explique si peu sur sa définition de l'amour. L'amour est une émotion particulière, un sentiment qui submerge comme une vague, une attraction très puissante qui répond à un stimulus irrésistible. L'esprit a ses propres façons de procéder qui ne sont pas si différentes : il aime répéter les expériences antérieures heureuses. « J'aime ceci » signifie fondamentalement : « J'aime répéter ce qui a été si agréable auparavant. » Ainsi, les émotions et l'esprit sont sélectifs. Il est pertinent de trier et de choisir, mais ces actes exigent un effort. On nous a appris que l'effort est bon, que rien ne s'obtient sans travail, mais ce n'est pas vrai. Être n'est pas le résultat d'un effort ; l'amour n'est pas le fruit d'un effort.

À un niveau plus subtil, le tri et le choix impliquent aussi le rejet. L'esprit ne peut envisager qu'un objet à la fois. Avant que vous puissiez dire : « J'aime cela », il faut avoir repoussé toutes les autres options. La peur joue un grand rôle dans ce rejet. L'esprit et l'émotivité n'envisagent pas la douleur et la souffrance de façon neutre ; ils les craignent et les rejettent. Cette habitude du tri et du choix se traduit par une grande dépense d'énergie, parce que l'esprit demeure sur le qui-vive, il veille continuellement à ce que les blessures, les déceptions, la solitude et tant d'autres expériences douloureuses ne se reproduisent pas. Quelle place laisse-t-il au silence ?

Sans silence, le magicien n'a pas la possibilité de se manifester. Sans silence, il ne peut y avoir de véritable compréhension de la vie qui est aussi fragile dans ses replis intimes qu'un bouton de rose. Les mortels, ayant remarqué que les magiciens ignoraient la peur, vinrent demander conseil aux magiciens. Les magiciens accueillent à bras ouverts, acceptent tout ce qui leur arrive. « Comment arrivez-vous à une telle paix de l'esprit ? » demandèrent les mortels. Et la réponse des magiciens fut :

« Regarde en toi-même, là où règne exclusivement la paix. »

Le premier pas dans le monde de Merlin consiste à reconnaître son existence — c'est suffisant. En lisant cette leçon, il est possible que votre esprit se rebelle, refuse d'admettre la validité d'un autre point de vue, d'un autre chemin que le sien. À cette réaction de méfiance vont peut-être s'ajouter l'anxiété, l'ennui, le scepticisme, le mépris — et d'autres sentiments analogues. Ne leur résistez pas. Ce sont simplement de vieilles façons habituelles de trier et de choisir. Votre esprit se donne de l'importance en refusant. Il vous a fidèlement servi pendant des années en bannissant les choses désagréables. Mais la question est de savoir si cette tactique est efficace. L'esprit réussit peut-être à vous rendre intelligent, mais il est pauvrement équipé pour vous apporter le bonheur, l'épanouissement, la paix intérieure.

Merlin ne discute pas avec l'esprit. Les débats qui agitent la pensée ne le concernent pas, car le magicien ne pense pas : il voit. Telle est la clé du merveilleux; tout ce que vous voyez dans votre monde intérieur se réalisera dans le monde extérieur. Vivez avec cette première leçon, laissez le fluide de la sagesse s'instiller peu à peu en vous par des voies mystérieuses, et observez. Votre magicien intérieur n'a qu'une aspiration : s'éveiller.

Leçon 2

*Le retour du magique suppose le retour
de l'innocence.*
L'essence du magicien est la transformation.

Chaque matin, le jeune Arthur descendait
dans la forêt pour se laver au bord d'un étang.
Comme tous les enfants, il rechignait à faire sa
toilette. Il était souvent distrait par les glapisse-
ments des écureuils roux, par les pies, ou par
tout ce qui pouvait être plus intéressant que du
savon et de l'eau.

Merlin ne se souciait pas trop de la saleté qui
lui couvrait le visage, le cou et le corps en général. Mais le magicien finit un beau jour par se
mettre en colère :

— Je pourrais planter des haricots derrière
tes oreilles ! Peu importe le temps que tu passes
à l'étang, mais ne fais pas semblant !

Arthur courba la tête.

— Je craignais de l'avouer, Merlin, mais
quand je suis penché au-dessus de l'eau, je ne
peux voir mon reflet. Je ne peux voir où me
laver, ni même à quoi je ressemble.

Quand il releva la tête, le jeune garçon

découvrit, à sa grande surprise, le visage ravi de Merlin, debout à côté de lui.

— Tiens, dit-il à Arthur en lui fourrant une grande émeraude dans la main comme récompense (Arthur s'en servit plus tard pour glisser sur l'eau), je pensais que ta désobéissance montrait que tu avais perdu ton innocence, mais je vois que j'avais tort. Dépourvu de reflet, tu ne peux pas être distrait par une image de toi, tu ne peux qu'être resté en état d'innocence.

Comprendre la leçon

L'innocence, avant d'être occultée, est notre état naturel. Ce qui l'occulte est notre image de nous-même. Quand nous nous regardons — et quelle que soit notre honnêteté —, nous voyons une image résultant d'une très longue élaboration de multiples images superposées et entremêlées. Les rides et les plis qui s'accentuent sur un visage racontent l'histoire des bonheurs et des peines passées, des victoires et des défaites, des idéaux et des expériences. Il est presque impossible de voir autre chose.

Où qu'il regarde, le magicien ne voit que lui, parce que son regard est innocent. Il n'est pas déformé par les jugements, les étiquettes et les définitions. Un magicien se sait pourtant doté d'un ego et d'une image de soi, mais il n'est pas distrait par eux; il les confond avec le spectacle du monde, de la vie en général.

L'ego, c'est le « Je », votre point de vue singulier. En état d'innocence, ce point de vue est pur comme une lentille transparente. Mais, une fois sorti de l'innocence, le regard de l'ego devient extrêmement déformé. On se croit savant, on croit se connaître soi-même, mais on ne voit que jugements et étiquettes. Les mots les plus simples que nous employons pour décrire autrui tels que « ami », « famille », « étranger » sont bourrés de jugements. Le gouffre qui sépare par exemple « ami » d'« étranger » est le fait de nos préjugés. On traite un ami d'une certaine façon et un ennemi d'une autre. Même si nous n'exprimons pas ces jugements, ils nous aveuglent comme des lunettes sales.

Le magicien ne colle pas d'étiquettes sur les choses, c'est pourquoi il pose un regard neuf sur elles. Ses lunettes sont immaculées, et le monde étincelle dans son éclat originel. Il entend une seule mélodie discrète en toute chose, celle du reflet universel. Dieu pourrait être défini comme quelqu'un qui regarde autour de Lui et ne voit que Lui — ou Elle — partout. Pour autant que nous sommes créés à Son image, notre monde est aussi un miroir.

Les mortels trouvent ce point de vue du magicien très étrange parce que leur intérêt s'est orienté dans une tout autre direction. Ayant regardé au-dehors, ils furent fascinés par le spectacle du monde et cédèrent à la rage de nommer et d'utiliser ce qu'ils voyaient. Il fallut baptiser tous les oiseaux, tous les animaux. On cultiva les plantes pour les manger ou pour leur beauté. Les contrées lointaines invitèrent à l'exploration et à la conquête.

Merlin ne s'intéressait pour ainsi dire pas à tout cela. Les magiciens ignorent souvent les noms des créatures les plus ordinaires comme les chênes, les daims, ou encore les constellations. Pourtant un magicien peut regarder un chêne noueux, une biche allaitant ses petits, ou le ciel nocturne pendant des heures et être entièrement absorbé par sa vision.

Les mortels voulurent apprendre cette sorte d'hyperattention. Quand on demanda à Merlin quel était le secret d'une vision du monde toujours neuve et enchantée, il répondit : « Vous manquez d'innocence. Vous étiquetez une chose puis, obnubilés par l'étiquette, vous cessez de la voir. » La démonstration fut aisée. Si deux chevaliers qui ne se connaissaient pas se rencontraient dans la forêt, ils cherchaient immédiatement le blason ou l'étendard de l'autre pour savoir s'ils avaient affaire à un ami ou à un ennemi. À l'instant même où ils avaient déchiffré ce signe, mais seulement à ce moment, ils décidaient de l'attitude à adopter. On embrassait l'ami, on l'invitait à festoyer, à conter ses aventures. Avec l'ennemi, la seule issue était le combat.

— Une obsession d'étiqueter les choses, expliqua Merlin, voilà la définition même de l'activité de l'esprit sous sa forme la plus pure. Sans étiquette, l'esprit est désemparé. Nous accumulons dans notre cerveau des millions d'étiquettes que notre esprit fait défiler à la vitesse de l'éclair. La vitesse de l'esprit est époustouflante, mais la vitesse ne nous préserve pas de l'ennui. Ce à quoi vous pensez, vous l'avez déjà expérimenté et ce qui a été expérimenté, vous vous en lassez rapidement. Vous étonnez-vous de votre inaptitude à regarder un chêne, un daim ou une étoile durant plus d'une minute ? J'entends vos esprits maugréer : « Quelle vieille chose ! » et vous voilà à nouveau entraînés dans votre folle ruée vers le nouveau.

— Je ne vois pas en quoi cela pose un tel problème, déclarait un vieux sage. Le monde est vaste et la nature regorge de transformations et de phénomènes fascinants.

— C'est certain, reconnut Merlin, mais, à t'en croire, rien ne serait jamais éventé ni ennuyeux. On ne peut certes nier l'inépuisable variété des phénomènes naturels. Pourtant les mortels qui se plaignent d'ennui sont nombreux, n'est-ce pas ?

Le vieillard acquiesça.

— Tu as prononcé le mot juste, poursuivit Merlin, « transformation ». Mais c'est ton moi qui doit se transformer continuellement. Tu ne peux aborder le monde à travers le même moi usé en espérant que celui-ci se renouvelle pour toi.

Le magicien ne voit jamais le même phénomène deux fois de la même façon. Par conséquent, quand il contemple la forêt, ce n'est pas tant par la vision d'un daim qu'il est absorbé que par la contemplation de nouvelles facettes de son propre être : la douceur, la grâce, la timidité, la délicatesse. Quiconque a gardé un regard candide peut reconnaître ces qualités. Elles s'ouvrent comme des pétales de rose. Vous devez être patient, car leur découverte vaut la patience qu'elles exigent. Votre propre innocence est l'unique, la véritable fleur. Elle ne se fane jamais et c'est pourquoi le monde, lui non plus, ne se fane jamais.

Vivre avec la leçon

Après avoir lu cette leçon, accordez-vous un moment afin d'essayer de regagner un peu d'innocence. C'est moins difficile qu'on ne l'imagine. Le premier point consiste à savoir ce qu'il ne faut *pas* faire. Ne portez pas de jugement sur votre état d'esprit présent. Vous pouvez être fatigué ou déprimé. Il se peut que vous projetiez beaucoup de colère, de peur, de honte. Oubliez ces sentiments pendant quelques instants ; l'innocence qu'enseigne Merlin dépasse l'esprit.

Regardez simplement cette liste de mots :

Lourd — Léger — Noir — Blanc — Soleil — Lune.

En les lisant l'un après l'autre, laissez-vous aller à les éprouver. Peu importe que vous soyez le genre de personne qui fait appel à des images plutôt qu'à des sentiments, ou à des concepts plutôt qu'à des sensations concrètes.

Toutes ces approches sont valables. Avez-vous remarqué que votre esprit ne peut éviter d'éprouver la sensation du lourd, du léger, du noir, du blanc, etc.? Il vous est d'ailleurs impossible de lire ces mots sans éprouver chacune de ces sensations, même légèrement.

Celles-ci ont besoin de votre participation pour atteindre leur plénitude. Si vous êtes innocent, elles seront fraîches et vierges. C'est ce qui caractérise la vision d'un peintre. Il regarde une corbeille de fruits, un bateau, un nuage mais, au lieu de recevoir passivement ces choses, il les crée en les regardant. Son esprit les transforme.

Et ainsi faisons-nous tous, même dans le regard le plus simple sur une chose ordinaire. Cette expérience démontre que l'innocence ne peut être vraiment perdue; elle est seulement occultée. Le secret du regard innocent est dans l'aptitude à regarder d'un œil neuf, qui *évite d'anticiper sur ce qu'il examine.*

— Si tu pouvais vraiment regarder cet arbre là-bas, dit Merlin, tu serais terrassé par la surprise.

— Vraiment? Mais pourquoi? demanda Arthur. Ce n'est qu'un arbre.

— Non, reprit Merlin. Pour *ton* esprit ce n'est qu'un arbre. Pour un autre, cet arbre est l'incarnation d'un esprit et d'une beauté infinis. Dans l'esprit de Dieu, cet arbre est un enfant chéri, plus précieux que tout ce que tu peux imaginer.

Tant que l'esprit peut capter la couleur, la lumière, la densité et la sensation globale du monde, *il se perçoit lui-même*. La sensation que provoque en vous le mot « lourd » ou « blanc » n'appartient qu'à vous. Au-dehors, il n'y a aucune lourdeur ou blancheur que vous ne puissiez percevoir ; tout ce qui se voit, s'entend, se touche, se goûte ou se respire n'est qu'une légère stimulation de votre conscience. Envoyez une caméra sur la Lune, filmez tous les cratères, toutes les vallées, et rapportez le film sur terre. S'il n'y a pas d'êtres humains pour le regarder, il n'y a pas d'image sur le film, seulement quelques produits chimiques, des combinaisons provisoires de photons. Le film est aussi inerte que la Lune elle-même. Merlin dirait que si personne ne regarde l'image de la Lune la Lune n'existe même pas.

C'est pour cette raison qu'il est extrêmement important de regarder le monde innocemment, c'est le seul moyen de lui donner vie. Votre œil anime tout ce qu'il voit. La moindre parcelle d'existence suppose le regard d'une conscience intelligente sans laquelle l'univers ne serait qu'un tourbillon chaotique de gaz inertes et d'étoiles mortes, un espace vide attendant la semence de la vie. Sans intelligence, il y a de l'agitation mais pas de vie. Chaque coup d'œil jeté au-dehors régénère la vie. C'est pourquoi Merlin prenait son travail — regarder les chênes, les daims et les étoiles — très au sérieux. Il ne voulait pas qu'ils meurent, c'était un amoureux de la vie. Telle est la conclusion de cette leçon : « Vois innocemment et tu donneras vie. » Tel est le credo magique qui a guidé la vie de Merlin. Les mortels éprouvèrent des difficultés à comprendre une pensée aussi simple, parce qu'elle allait à l'encontre de leur préjugé le plus profond : « Le monde est antérieur à moi. » Mais nous-mêmes ne serions pas vivants si un être innocent ne nous avait d'abord vus. Tel est l'acte de semence dont est issu l'univers entier et ce fut un acte d'amour. Vous renaîtrez à votre innocence profonde quand vous verrez l'amour palpiter en chaque atome de création.

Leçon 3

Le magicien regarde les transformations
du monde, mais son âme habite
les royaumes de lumière.

Le décor change, le voyant demeure le même.

Votre corps est simplement le lieu
qui abrite vos souvenirs.

Merlin préférait éviter de rencontrer des mortels, mais on pouvait parfois l'apercevoir certains soirs d'été, tard, debout sur un pied à la lisière d'un champ. Des fermiers intrigués s'approchaient, mais Merlin, immobile comme une statue, muet, ignorait leur présence.

À ces moments-là, Arthur trouvait que son maître ressemblait à un vieil échassier en équilibre au bord de l'étang, guettant l'occasion d'embrocher un poisson. Un jour que Merlin était resté plusieurs heures ainsi, l'enfant ne put s'empêcher de lui demander ce qu'il regardait.

— Je ne puis le dire exactement, répondit Merlin. J'ai vu une libellule et j'ai voulu l'observer de plus près. Elle a traversé le chemin comme un papillonnement féerique, mais au bout d'un moment j'ai oublié si j'étais en train de rêver de cette libellule ou si elle rêvait de moi.

— La réponse n'est-elle pas évidente ? demanda Arthur.

Merlin assena à l'enfant une grande claque sur la tête.

— Tu crois que tes rêves se déroulent ici, à l'intérieur. Moi, je me rencontre partout... Qui sait par conséquent quelle partie de moi en rêve une autre ?

Comprendre la leçon

On pourrait aussi appeler *témoin* le magicien que chacun de nous abrite. Le rôle du témoin n'est pas d'interférer dans les métamorphoses du monde mais de voir et de comprendre. Le témoin ne se repose pas — il demeure éveillé quand vous rêvez, ou même dans un sommeil sans rêves. Il n'a donc pas besoin de voir à travers vos yeux, ce qui semble vraiment magique. L'œil n'est-il pas l'organe essentiel de la vue ?

L'énergie et l'information sont inhérentes à tout ce que nous voyons, entendons ou touchons dans le monde relatif — tout atome peut être décomposé en ces deux éléments, bien qu'ils soient dépourvus de forme dans leur état originel. Un magma d'énergie peut se dissiper en tourbillons chaotiques dans l'espace comme un nuage de fumée. L'information peut se décomposer en signaux incohérents. La merveilleuse cohérence de la vie, son organisation, suppose l'intervention d'une autre force : l'intelligence. L'intelligence est le ciment de l'univers.

Pour le magicien, celle-ci n'est pas seulement une notion abstraite, car il voit à travers son propre œil intérieur qu'il *est lui-même cette intelligence*. Les mortels sont déconcertés par une telle capacité, dans la mesure où elle ne relève pas de l'esprit. Ils sont accoutumés à accumuler des informations, mais l'essence du savoir leur demeure étrangère.

« Le plus brillant mortel, disait Merlin, ne vaut pas mieux que le plus grand idiot dès qu'il va au lit. Il fait les mêmes cauchemars effrayants et a peur de mourir. L'angoisse le tenaille depuis la naissance et il ne peut apprécier le moindre plaisir sans être conscient de sa fugacité. »

Le savoir du magicien reste en éveil même quand il dort. L'intelligence universelle, éternelle, omnisciente n'est pas pour le magicien une quelconque force créatrice lointaine. Elle est présente en chaque atome de matière. Elle est l'Œil derrière chaque œil, l'Oreille qui précède toute oreille, l'Esprit d'avant tout esprit.

Pour voir, le magicien n'a donc nul besoin d'être éveillé et d'ouvrir les yeux. Nous pouvons voir, dans le sens le plus profond du terme, pendant que nous rêvons ou que nous dormons, parce que voir signifie être réceptif à l'intelligence universelle. Quand le témoin est pleinement présent, rien ne lui échappe.

Le savoir du magicien est une connaissance pure, indépendante des phénomènes extérieurs. Il est l'eau de la vie puisée directement à la source. La connaissance du magicien est immuable, indifférente aux diverses transformations qui affectent le monde. Avant de rencontrer le magicien en nous-même, nous nous fions à nos sens et à notre esprit pour apprendre ce que nous savons. Notre savoir est le résultat d'un apprentissage. Il est stocké dans la mémoire et classé selon nos goûts et intérêts, il est donc sélectif. La connaissance du magicien est innée.

Un jour, Arthur vit Merlin courir comme un fou en brandissant un énorme couteau de boucher.

— Que fais-tu ? demanda l'enfant, paniqué.

— Je pense, répondit Merlin. Ne penses-tu pas de cette façon ?

— Non, dit Arthur.

Merlin s'arrêta soudainement.

— Ah ! alors je dois faire erreur. J'avais l'impression que tous les mortels utilisaient leur esprit comme des couteaux, pour trancher et disséquer. Je voulais voir à quoi cela ressemblait. Il me semble qu'au fond de ce que vous, les mortels, appelez rationalité, se cache une bonne dose de violence.

L'esprit du magicien est comme une lentille qui perçoit et restitue tout ce qu'il voit sans distorsion. L'intérêt de ce type de conscience est qu'elle réunit, alors que l'esprit rationnel sépare. L'esprit rationnel regarde « à l'extérieur » un monde d'objets situés dans le temps et l'espace, alors que le magicien voit tout comme une partie de lui-même. La séparation entre « extérieur » et « intérieur » est abolie. La conscience est indivisible.

D'où la réplique de Merlin déclarant qu'il

pouvait difficilement dire s'il rêvait d'une libellule ou si la libellule rêvait de lui. Cette distinction est une création artificielle de l'esprit. Dans l'œil du magicien tous deux se confondent totalement.

Vivre avec la leçon

Il n'est pas aisé d'expliquer en quoi consiste le témoignage. Quand nous sommes éveillés, chacun de nous voit en général des objets, mais le témoin voit la *lumière*. Il se voit lui-même comme un foyer de lumière, l'objet comme un autre foyer lumineux, tous deux immergés dans un immense espace vide empli de lumière.

La *lumière* : une métaphore pour désigner des niveaux d'être plus élevés. Quand quelqu'un fait une expérience de mort imminente et rapporte qu'il était « baigné de lumière », il décrit l'élévation vers un niveau d'être plus essentiel.

La lumière peut revêtir l'apparence du paradis ou d'un autre monde, mais pour le magicien notre monde ordinaire n'est qu'une image. Cette image est, elle aussi, une projection de la conscience.

« Toute conscience est lumière, disait Merlin, toute lumière est conscience. » Les frontières que nous dressons entre le ciel et la terre, l'esprit et la matière, le réel et l'irréel, ne sont que des artifices. Étant les auteurs de ces frontières, rien ne nous est plus aisé que de les supprimer.

Regardez attentivement cette page. Vous la voyez comme un objet. Elle est matérielle dans la mesure où elle est constituée de fibres de bois transformées en papier, mais elle est abstraite quant aux idées qu'elle renferme. Une page est-elle un objet de papier, un agencement d'idées, ou les deux ? Notez que vous pouvez facilement l'envisager sous ces deux aspects, mais vous ne pouvez l'envisager comme matérielle et spirituelle *simultanément*. Autrement dit, des réalités différentes peuvent coexister, mais chacune cantonnée à son propre niveau d'existence. Un mot est, à un certain niveau, une succession de taches d'encre, mais, à un autre niveau, il est la clé d'une idée.

Chaque état de l'être, de sa forme la plus subtile et immatérielle à la plus tangible et matérielle, dépend de l'observateur. Si nous le voulions, nous pourrions annihiler cette page de la manière suivante : une page est faite de papier, le papier est fait de molécules, les molécules d'atomes, les atomes sont des magmas d'énergie infinitésimaux, et les magmas d'énergie sont constitués à 99,99 % d'espace vide. Comme la distance qui sépare deux atomes est immense — proportionnellement plus grande que la distance qui sépare la Terre du Soleil —, on ne peut qualifier cette page de solide qu'à condition de soutenir que l'espace qui nous sépare du Soleil est lui aussi solide.

Cette expérience qui consiste à dématérialiser des choses apparemment solides peut aussi fonctionner en sens inverse. En partant de l'espace « vide », on peut construire des magmas d'énergie, d'atomes, de molécules et remonter la chaîne de la création pour reconstituer n'importe quel objet, y compris votre corps. La main qui tourne cette page est un nuage d'énergie, et ce n'est que par un acte de conscience que vous pouvez sentir cette main ou que celle-ci peut sentir la page. D'autres magmas d'énergie, comme les rayons ultraviolets qui vous entourent, échappent totalement à votre attention. Ainsi la consistance du monde est entièrement tributaire de la faculté qui le perçoit. Vous avez été créés voyants afin que le monde existe comme chose visible ; sans yeux pour le contempler, le monde serait invisible.

Cette hypothèse une fois admise, allons encore plus loin : chaque chose sur Terre est alimentée par la lumière du Soleil, celui-ci n'étant qu'une étoile. La nourriture que vous mangez a été transformée par la lumière solaire et en la mangeant vous créez un corps — le vôtre — qui provient de la même source. En d'autres termes, manger un plat n'est rien d'autre qu'une action de la lumière solaire s'absorbant elle-même. Cette lumière, bien qu'elle prenne de multiples formes, celles de tourbillons de gaz et de quasars, comme celle d'un lapin broutant du trèfle, est une seule et même lumière. Elle se trouve à la fois partout et nulle part. Vous croyez vous trouver quelque part, mais ce n'est vrai que parce que vous vous engagez à présent dans l'acte suprêmement créatif de convertir l'univers de la lumière en un simple foyer, celui de votre corps et de votre esprit.

Arthur adressa un jour cette prière à Merlin :

— Je voudrais accomplir des miracles.

— Ce monde existe à cause de toi, répliqua Merlin, n'est-ce pas déjà un miracle suffisant ?

Le magicien pousse ce raisonnement magique à son terme. Si le regard a rendu le monde visible, demande-t-il, qui ou quoi a créé la vue ? Qui a vu l'œil avant que celui-ci ait reçu le don de voir ? C'est la conscience. Le voyant antérieur à tout œil est simplement la conscience elle-même, qui engendre nos sens afin que ceux-ci puissent à leur tour engendrer tout ce qui nous entoure.

Il ne s'agit nullement d'une énigme métaphysique. Dans l'utérus de la mère, l'embryon n'est au départ qu'une simple cellule dépourvue de sensibilité. Puis les cellules se multiplient et s'agglutinent par zones qui se spécialisent dans différentes fonctions ; finalement ces fonctions deviennent les yeux, les oreilles, la langue, le nez, etc. Un œil ne ressemble pas du tout à une oreille, mais leur différence d'aspect est trompeuse. Tous vos sens étaient contenus dans cette première cellule sous forme d'informations codées.

L'information n'est que la conscience rendue manifeste sous une forme stockable — comme ce livre. Si vous ne saviez pas ce qu'est un livre, vous diriez que c'est simplement un ensemble de signes appartenant à un code étrange, alors qu'il s'agit en fait du canal par lequel une conscience communique avec une autre.

Merlin considérait le monde entier comme un moyen de se parler à lui-même.

— Si jamais tu oublies quelque chose, la forêt te le rappellera, expliqua-t-il un jour à Arthur.

— J'ai oublié des tas de choses que la forêt ne m'a jamais rappelées, objecta l'enfant.

— Faux, répliqua Merlin. La seule chose que tu puisses oublier, c'est toi, et cela, tu peux le retrouver sous chaque arbre.

Pourquoi le monde existe-t-il? Parce qu'une immense conscience a voulu écrire le code de la vie et dérouler ses entrelacs sur les pages du temps. Il n'y a pas lieu de s'étonner qu'un magicien ne puisse dire où finit son propre corps et où commence le monde. Rêvez-vous ce livre ou est-ce ce livre qui vous rêve?

Leçon 4

Qui suis-je ? est la seule question qui soit digne d'être posée et la seule à laquelle on ne répond jamais.

Votre destin comprend une infinité de rôles mais ces rôles ne sont pas vous-même.

L'esprit n'est pas localisé, mais il laisse derrière lui une empreinte digitale, que nous appelons le corps.

Un magicien ne se voit pas comme un événement localisé rêvant d'un monde plus vaste.

Un magicien est un monde rêvant d'événements localisés.

Merlin disparut du monde d'Arthur pendant longtemps. Il apparut soudain, un jour, sorti de la forêt et se dirigea vers Camelot. Ravi de revoir son maître, le roi Arthur donna un banquet royal en son honneur. Mais Merlin semblait déconcerté, et examinait son ancien élève comme s'il le voyait pour la première fois.

— Peut-être pourrais-je venir au banquet, si vous êtes celui pour qui je vous prends, dit Merlin. Mais dites-moi, en vérité qui êtes-vous ?

Arthur était interloqué mais, avant qu'il ait pu protester, Merlin s'adressa à l'assemblée des courtisans d'une voix forte :

— J'offrirai ce sac de paillettes d'or à quiconque sera capable de me dire qui est cette personne.

Et à l'instant même une bourse pleine de paillettes d'or apparut dans ses mains.

La consternation et le désarroi se lisaient sur le visage des Chevaliers de la Table ronde. Personne ne s'avança. Puis un jeune page s'élança :

— Nous savons tous que c'est le roi.

Merlin secoua la tête et chassa sèchement le page de la grande salle.

— Est-ce qu'aucun de vous ne le connaît ? répéta-t-il.

— C'est Arthur ! s'exclama une autre voix. Même un idiot le sait.

Merlin chercha d'où venait la voix ; c'était celle d'une vieille servante à qui il ordonna aussi de quitter la pièce. L'assemblée ébahie bruissait de murmures, mais bientôt le défi du magicien se transforma en jeu.

On lança des réponses variées : fils d'Uther Pendragon, souverain de Camelot, roi d'Angleterre. Merlin rejeta tous ces qualificatifs, tout comme les réponses plus ingénieuses : fils d'Adam, fleur d'Albion, un homme parmi les hommes et ainsi de suite... Finalement Guenièvre elle-même fut interrogée.

— C'est mon mari bien-aimé, murmura-t-elle.

Merlin secoua la tête. Un par un tous furent

renvoyés jusqu'à ce qu'il ne reste plus que le magicien et le roi dans la grande salle.

— Merlin, tu nous as tous mis en difficulté, admit Arthur. Mais je suis sûr de savoir qui je suis. Voici donc ma réponse : je suis ton vieil ami et disciple.

Sans la moindre hésitation, Merlin récusa cette réponse comme il avait rejeté toutes les autres, et le roi lui-même dut quitter la salle. Il se posta toutefois, par curiosité, dans une embrasure de porte par laquelle il apercevait la grande salle. À sa grande surprise, il vit Merlin marcher vers une fenêtre, ouvrir le sac et disperser l'or dans le vent.

— Pourquoi as-tu jeté cet or précieux ? cria Arthur, incapable de se contenir.

Merlin se retourna.

— Il le fallait, rétorqua-t-il, le vent m'a dit qui tu étais.

— Le vent ? Mais il n'a rien dit !

— En effet !

Comprendre la leçon

Les magiciens et leurs semblables refusent souvent de se fixer quelque part et demeurent anonymes. Ils évitent le voisinage des mortels qui pourraient devenir trop familiers. « Celui qui m'appelle par mon nom est un étranger, dit Merlin. Le fait que vous reconnaissiez mon visage ne signifie pas que vous me connaissiez. »

Les magiciens se considèrent comme des citoyens du cosmos. C'est pourquoi il n'est pas pertinent de vouloir les attacher à un lieu quelconque.

Dans la vie mortelle nous sommes toujours prisonniers des noms, des étiquettes et des définitions. Il est utile d'avoir un nom — cela vous permet de reconnaître votre certificat de naissance —, mais ce nom devient vite une limitation. Votre nom est une étiquette. Il vous définit comme né à telle époque, à tel endroit, de tels parents. Après quelques années votre nom vous définit comme quelqu'un qui étudie dans telle ou telle école puis embrasse telle ou telle profession. Vers l'âge de trente ans, votre identité est piégée dans une petite boîte de mots. Voici les murs de la boîte : « Conseiller fiscal, catholique, lycée Montaigne, marié, trois enfants, une maison achetée à crédit. » Ces faits ne sont peut-être pas inexacts, mais ils nous induisent en erreur. Ils enferment un esprit transcendant à l'intérieur de circonstances anecdotiques.

Nombre de ces limitations semblent vous définir alors qu'elles concernent seulement votre corps — et vous êtes beaucoup plus que votre corps. Le magicien a une relation particulière à son corps. Il le voit comme un souffle de conscience matérialisé dans le monde, tout comme les rochers, les arbres, les montagnes, les mots, les souhaits et les rêves commencent par flotter avant de s'incarner dans un corps. Le fait qu'un souhait ou un rêve soient immatériels alors qu'un corps humain est tangible ne trouble pas un magicien. Les magiciens ignorent notre préjugé courant selon lequel « réel » égale « solide ».

Un magicien ne se considère pas comme un événement particulier rêvant d'un monde plus vaste. Un magicien est un monde rêvant d'événements particuliers. Il n'est prisonnier d'aucune limite. Les mortels ne pourraient exister sans limites. Ils habitent leur corps — sans corps, personne ne saurait où se trouve sa maison, puisque la maison est le lieu où le corps se rend pour trouver abri et repos.

Merlin ne se considérait cependant pas lui-même comme un sans-abri. Il disait : « Ce corps est comme un nid où mes pensées se réfugient mais elles rentrent et sortent si rapidement que vous pourriez aussi bien dire qu'elles vivent dans les airs. » Encore une fois, nous présumons que nos pensées vont et viennent dans notre tête, mais nous ne pouvons le prouver. Qui a assisté à la genèse d'une pensée avant qu'elle devienne consciente ? Qui peut la suivre dans son cours imprévisible ?

Merlin ne comprenait pas pourquoi les mortels se cramponnent à leur corps.

« Il est suffisant de se dire que ce paquet de chair et d'os est "moi", dit-il, mais seulement si cette colline, ce pâturage et ce château sont aussi "moi". » Un corps mortel ne vaut pas mieux, aux yeux de Merlin, qu'un portemanteau sur lequel on accroche des croyances, des peurs, des préjugés et des rêves. Si vous accrochez trop de manteaux sur un portemanteau, vous ne verrez plus le portemanteau. C'est ce que les mortels ont fait de leur corps, selon

Merlin. Il est impossible de voir la vérité du corps humain — qui est une rivière de conscience s'écoulant à travers le temps — à cause de tous les sédiments dont le passé l'a recouvert.

Vivre avec la leçon

Pour comprendre le sens de cette leçon, il faut oublier votre nom quelques instants. Prenons à présent la question : « Qui suis-je ? » au sérieux. Vous ne pourrez découvrir votre vraie nature qu'en écartant le nom et la forme. La plupart du temps, nous nous rapportons à nous-même à travers des limitations, et les rôles sont des limitations, bien que tout le monde endosse sans cesse des rôles différents. Souvenez-vous de l'époque où vous étiez un enfant — votre mère était le centre du monde. L'idée qu'elle avait une vie autre que celle de mère ne vous effleurait même pas. Son identité était clairement établie dans votre esprit. Puis, en grandissant, vous vous êtes aperçu qu'elle jouait d'autres rôles, épouse, sœur, fille, qu'elle avait une vie professionnelle, etc. Il est difficile pour la plupart des enfants d'accepter le fait que la vie de la mère ne se réduise pas à son rôle maternel — si grande est la polarisation naturelle de tous les nourrissons sur eux-mêmes. Mais avec le temps nous apprenons à endosser nos propres rôles en suivant l'exemple de nos parents.

Nous étendons en apparence le champ de notre expérience en accumulant les rôles. Une femme qui se contenterait d'être une mère trouverait sa vie étouffante. Dans notre société, être « complet » signifie porter autant de chapeaux que possible. Mais le magicien a un tout autre point de vue sur cette situation. Pour lui, être complet suppose de rejeter tous les rôles.

« Je suis un esprit libre réduit à l'apparence de ce petit corps, dirait Merlin. Tu peux entourer le Soleil avec le pouce et l'index, mais peux-tu empêcher sa lumière d'emplir le ciel ? »

Refuser d'endosser un rôle est une entreprise délicate ; toutefois le monde du magicien reste fermé à celui qui se définit par les rôles qu'il joue. En quoi consiste donc l'expérience de libération intégrale de tous les rôles ? C'est tout simple. Quand vous vous réveillez le matin, pendant quelques instants, avant de commencer à penser à la journée, vous vous sentez seulement éveillé, sans pensée particulière. Vous êtes simplement vous-même, simplement conscient. Cette expérience se répète par intermittence au cours de la journée, mais peu de gens le remarquent, car nous avons l'habitude de nous identifier avec nos pensées, dont nous suivons toujours le fil. En réalité, cependant, *vous n'êtes pas ce que vous pensez.*

Il se peut que vous ayez des difficultés à l'admettre, mais les pensées qui vous absorbent ne vous appartiennent pas — elles appartiennent à votre nom, aux rôles dans lesquels vous vous êtes glissé. Si vous êtes une femme qui pense à son enfant, comment ça marche à l'école, que lui préparer à dîner, etc., ce n'est pas *vous* qui avez ces pensées. C'est la *mère*. Si, en tant que médecin dans mon cabinet, je pense aux diagnostics, aux prescriptions, etc., c'est le *docteur* qui pense à tout cela. La mère et le docteur sont sans doute des rôles utiles... jusqu'au moment où ils cessent et où chacun de nous doit affronter l'énigme : « Qui suis-je ? », à laquelle nous n'avons jamais obtenu de réponse, quelle que soit la conviction avec laquelle nous avons assumé nos différents rôles.

Vous pouvez cependant vous échapper de vos rôles en une fraction de seconde, si vous le voulez. Pendant que vous lisez cette page, tournez votre attention vers celui qui lit. Ou pendant que vous écoutez de la musique, vers celui qui écoute. Quand vous regardez un arc-en-ciel, tâchez d'entrevoir celui qui contemple. Dans tous ces cas vous sentirez immédiatement une conscience en éveil, attentive, détachée, silencieuse quoique très vivante. Qu'avez-vous fait alors ? Vous avez interrompu l'acte d'observer, pour entrevoir l'observateur. Cette manœuvre vous donne instantanément la certitude absolue de votre existence car toute observation suppose un observateur immuable. Ce voyant est le facteur intemporel présent dans toute expérience temporelle, limitée, et ce voyant, c'est vous.

La perspective de l'intemporalité peut vous effrayer si vous vous identifiez fortement aux rôles que vous jouez. La plupart des gens sont effondrés quand ils perdent leur emploi, quand leurs enfants deviennent adultes et quittent la maison familiale, quand l'épouse qu'ils chérissent meurt. Leur sens du « je » est tellement enserré dans les noms, les étiquettes et les rôles qu'ils n'ont pas pris le temps de découvrir leur personnalité réelle.

Être réellement c'est exister dans toute sa plénitude. La réalité dont il est question ici ne peut être définie, il faut l'éprouver pour la comprendre. Soyez attentifs à ces brefs instants de la journée où vous éprouvez votre moi fondamental à travers une respiration, un sentiment, une sensation. Demain, avant de vous lever, tâchez de capter ce fugace sentiment d'existence, pur et simple, qui précède le bavardage de l'esprit. Cet état immobile, silencieux, anonyme, est très satisfaisant. Il est inaccessible à la pensée, à la parole ou à l'action. C'est la forteresse dont aucune armée n'escaladera jamais les murailles, qui abrite le sanctuaire où sont conservés les véritables trésors de la vie.

Leçon 5

Les magiciens ne croient pas à la mort.

Dans la lumière de la conscience,
tout est vivant.

Il n'y a ni commencement ni fin.

Pour le magicien ce ne sont que
des constructions mentales.

Pour être pleinement vivant,
il faut être mort au passé.

Les molécules se dissolvent et disparaissent
mais la conscience survit à son support charnel.

Tous les récits concernant Merlin, même les plus embrouillés, affirment qu'il vivait à contretemps. À son époque, ce fait consterna ses contemporains. Le vieux magicien criait « Attention ! » une seconde *après* qu'Arthur s'était brûlé en renversant une casserole d'eau bouillante. Il apparaissait à un enterrement et donnait une pichenette au menton du défunt comme si c'était un nouveau-né. Plus bizarre encore, les villageois murmuraient que Merlin avait été aperçu dans les cimetières déposant des cadeaux de baptême sur les pierres tombales.

— Peux-tu expliquer pourquoi tu vis à contretemps? demanda un jour Arthur.

— Parce que tous les magiciens vivent ainsi, répondit Merlin.

— Et pourquoi cela?

— Parce que nous le voulons. Cela présente beaucoup d'avantages.

— Je n'en vois aucun, persista Arthur, en pensant aux étranges habitudes de Merlin, comme de prendre son petit déjeuner avant d'aller se coucher.

— Viens, je vais te montrer quelque chose, répondit Merlin en entraînant Arthur hors de la grotte de cristal.

C'était par un chaud après-midi d'été, le soleil était brûlant et les églantines affaissées pendaient presque à ras de terre.

— Maintenant, dit Merlin en tendant à l'enfant une bêche, commence à creuser une tranchée d'ici à là, et ne t'arrête pas avant que je te l'aie dit.

Arthur se lança dans son travail, creusant de toutes ses forces, mais, au bout d'une heure, épuisé, il demanda à Merlin — qui ne lui avait toujours pas donné l'ordre d'arrêter — si elle était assez longue. Merlin regarda la tranchée qui mesurait environ trois mètres de long sur cinquante centimètres de profondeur.

— Oui, bien assez, répondit-il. Maintenant, comble-la.

Arthur, bien qu'habitué à obéir, n'apprécia pas tellement cet ordre. En nage, le visage crasseux, il peina sous le soleil écrasant jusqu'à ce que la tranchée fût entièrement rebouchée.

— Maintenant, assieds-toi à côté de moi, ordonna Merlin. Que penses-tu du travail que tu viens de faire ?

— Il était inutile, lâcha Arthur.

— Juste ! Et c'est le cas de la plupart des entreprises humaines. Quand on découvre leur inutilité, le travail est fini, il est déjà trop tard. Si tu vivais à contretemps, tu aurais estimé inutile de creuser la tranchée et tu n'aurais pas entrepris ce travail.

Comprendre la leçon

Les légendes de l'époque d'Arthur prétendant que Merlin vivait à contretemps simplifient la réalité. Les anciens conteurs adoraient stupéfier leur auditoire : tout auditeur s'efforçant de comprendre cette énigme s'émerveillait de cet étrange personnage. Certains le prirent donc pour un prophète ou un oracle. On pourrait dire de tout prophète qu'il vit ainsi puisque son rôle est de pressentir ce qui doit arriver.

Mais, plus encore pour un esprit médiéval, vivre à contretemps signifiait défier le cycle naturel de la naissance et de la mort. Quelqu'un qui rajeunit chaque jour se soustrait aux lois immuables entraînant tous les êtres vivants vers le déclin et la mort. La vraie naissance d'un magicien a lieu le jour où il quitte ce monde, en supposant que la mort puisse l'atteindre.

Pour résoudre ce paradoxe, il faut percevoir le temps comme un magicien.

— Vous autres, mortels, avez emprunté

votre nom à la mort, dit Merlin dans la grotte de cristal. On vous appellerait immortels si vous vous perceviez vous-mêmes comme des créatures de vie.

— Ce n'est pas juste. Nous n'avons pas choisi la mort, elle nous a été imposée, protesta Arthur.

— Non. Ce n'est qu'une habitude. Vous vieillissez et mourez parce que vous voyez les autres vieillir et mourir. Jetez cette défroque usée et vous cesserez d'être pris au piège dans les filets du temps.

— Jeter la mort? Comment le pourrions-nous? demanda Arthur, intrigué.

— Tout d'abord, remontez à la source de votre habitude. Là, vous trouverez le raisonnement fautif qui, au départ, vous a convaincus de votre mortalité. Une opinion erronée découle toujours d'une faute de raisonnement. Il suffit de trouver cette faute logique et de la corriger. C'est d'une simplicité enfantine.

Arthur est passé à la postérité comme le « roi d'un jour et de toujours », ce qui implique que lui aussi s'est soustrait au sortilège de la mort. Qu'a-t-il trouvé? En quoi consiste la faute logique que dénoncent les magiciens dans notre rapport à la mort? Il s'agit pour l'essentiel de notre identification au corps. Les corps humains naissent, vieillissent et meurent. Adhérer à ce processus relève d'une faute logique mais, une fois qu'on y a adhéré, la mort est inéluctable. Nous tombons sous l'emprise de la mortalité et nous n'avons plus d'autre choix que de nous résigner à mourir.

Pour briser cette fatalité, il faut délivrer l'être humain des limitations temporelles. C'est pourquoi le magicien entreprend un voyage pour découvrir la vérité sur le temps. Telle est la véritable signification de la légende selon laquelle Merlin vivait à contretemps : il voulait remonter le temps jusqu'à sa racine.

Vivre avec la leçon

Aux yeux du magicien, le temps n'est que de l'éternité quantifiée. « Nous baignons tous dans l'intemporel, déclarait Merlin. La question est : que faites-vous de cet intemporel ? » Nous créons du temps en fragmentant l'intemporel ; telle est, aujourd'hui encore, notre manie. Pour nous, le temps s'écoule de manière linéaire. Les horloges égrènent les secondes, les minutes, les heures, mesurant la lente marche qui conduit du passé au futur, via le présent. Cette conception linéaire du temps est périmée depuis qu'Einstein a démontré la relativité du temps, capable de s'accélérer comme de ralentir.

En dehors du fait qu'il ressemble un peu à Merlin, Einstein a certainement dû basculer dans le monde du magicien pour imaginer ce stupéfiant concept. Einstein a expliqué qu'il avait *senti* la théorie de la relativité longtemps avant de pouvoir en faire la démonstration mathématique. Nous éprouvons tous le temps comme une donnée relative, élastique ; une expérience heureuse l'accélère, une expérience douloureuse le ralentit. Quand on est amoureux, une journée dure une seconde... Une matinée dans un fauteuil de dentiste semble interminable.

Mais cette nouvelle perception du temps a-t-elle vraiment le pouvoir de nous délivrer de la mort ? Pour le magicien, la mort n'est qu'une croyance. Grâce à la relativité nous pouvons réviser notre croyance en un temps linéaire. On trouvera sans peine d'autres preuves qui nous convaincront de l'immortalité elle-même. Par exemple, si l'on envisage l'univers comme une certaine somme d'énergie, et que l'on adopte le point de vue de l'énergie, rien ne meurt jamais, puisque l'énergie est indestructible. En tant que quantum d'énergie, vous ne disparaîtrez jamais.

— Mais je ne veux pas être de l'énergie, protesta Arthur quand il comprit la logique de cette argumentation.

— C'est ton défaut fatal, rétorqua Merlin. Parce que tu t'identifies à ce corps, tu crois avoir besoin d'une forme. L'énergie est informe et tu penses par conséquent que tu ne peux t'assimiler à elle. Ce que j'essayais de te faire comprendre, c'est que l'énergie n'est pas née ; elle n'a ni commencement ni fin. Il faut que tu cesses de te considérer comme ayant un début, sinon tu ne trouveras jamais la part immortelle de toi-même, qui, pour ne jamais mourir, ne doit pas être née.

En observant le visage démoralisé de l'enfant, Merlin ajouta ces propos plus réconfortants :

— Je ne veux pas te voler ton corps pour te prouver que tu es informe. Il te suffit de voir l'informe dans toute forme pour trouver l'immortalité au cœur de la vie mortelle.

Les molécules se regroupent et se désagrègent, se dissolvant dans le nuage d'atomes primitif. Mais la conscience survit à la mort des molécules grâce auxquelles elle avait pris son essor. Le flux d'énergie initial apporté par un rayon de soleil se convertit en feuille qui tombe et se transforme à son tour en humus. Cette métamorphose se joue des limitations : un rayon de soleil est invisible, alors que les feuilles et l'humus sont visibles. Une feuille est vivante et pousse, contrairement aux rayons de soleil. Les couleurs de la lumière, de la feuille et de l'humus sont différentes et ainsi de suite...

Mais ces multiples métamorphoses ne sont que des constructions de notre esprit. La véritable énergie présente dans le rayon de soleil ne change à aucun moment — elle fait partie du jeu continuel des photons et des électrons qui sous-tend tout ce qui existe, que nous le percevions comme mort ou vivant. La science moderne nous a ouvert les yeux sur ce nouveau monde, il nous faut maintenant apprendre à le *vivre*. Des penseurs visionnaires comme Einstein peuvent nous aider à surmonter des obstacles mentaux, mais leur aide s'arrête là ; les autres barrières, d'ordre émotionnel et instinctif, nous devons les franchir nous-même.

La peur de la mort offre un exemple de barrière émotionnelle. Pour les magiciens, notre rapport à la mort est dominé par la peur, bien que cette peur soit si profondément enracinée qu'on ne distingue pas immédiatement ses effets. Voici pourtant un exercice tout simple qui vous fera découvrir cela par vous-même. Choisissez une pièce tranquille où vous ne serez pas dérangé. Munissez-vous de quelques feuilles de papier et asseyez-vous. Posez la pointe de votre stylo sur la première de ces feuilles et promettez-vous de ne pas lever le stylo pendant cinq minutes. Commencez à écrire : « Je n'ai pas peur de... » et laissez votre inspiration vous dicter la fin de la phrase.

Toujours sans lever votre stylo, écrivez à nouveau cette même phrase en commençant par « J'ai peur de... », et écrivez sur la feuille la fin qui vous vient à l'esprit. Tout en procédant ainsi, inspirez et expirez lentement, régulièrement, sans pause. On appelle parfois cette technique « respiration circulaire », parce que l'inspiration et l'expiration s'enchaînent. Cette manière de respirer est considérée depuis fort longtemps comme un moyen de contourner les inhibitions de l'esprit conscient. Sans cette technique, il serait beaucoup plus difficile d'atteindre la peur inconsciente.

Tout en respirant circulairement, répétez plusieurs fois l'exercice consistant à achever cette même phrase, « J'ai peur de... », sans lever votre stylo de la feuille. Une fois que vous aurez libéré l'expression de vos peurs cachées, il se peut que vous ayez du mal à vous arrêter.

Si vous faites cet exercice librement, en laissant simplement vos pensées s'exprimer sans essayer de les contrôler, vous découvrirez de nombreuses associations étranges et imprévues avec la peur. Et ces peurs inattendues susciteront d'autres émotions, la colère, la tristesse et un grand soulagement. Peut-être même verserez-vous des larmes jusqu'alors refoulées.

Laissez remonter tout cela sans jamais interrompre votre respiration et sans lever la plume du papier jusqu'à ce que vous en ayez assez. Un mot d'avertissement : si vous commencez à vous sentir trop mal à l'aise, arrêtez. Après cet exercice il peut être utile de s'allonger et de se reposer pour retrouver son équilibre intérieur normal. D'après mon expérience, cet exercice est surtout efficace la première fois, mais il peut être répété à volonté.

Mais en quoi tout cela relève-t-il de la vision magique de l'immortalité ? On pourrait répondre que consacrer une séance de cinq minutes à la peur revient à dégager la « couche superficielle » de notre système d'opinions. L'immortalité est enfouie tout au fond de la conscience humaine, mais recouverte par de nombreuses strates d'opinions contraires. La vie quotidienne renforce ces convictions : nous sommes captifs de nos peurs, de nos souhaits, de nos rêves, de nos associations inconscientes et finalement de notre peur la plus profonde, celle de la mort inéluctable. L'esprit rationnel justifierait probablement cette position en prétendant que la mort est omniprésente dans la nature.

Mais Merlin dirait : « Examine tes doutes rationnels plus attentivement. Derrière le doute se tient un sceptique, derrière celui-ci, un penseur, derrière le penseur un noyau de conscience pure qui est la condition même de possibilité de toute pensée. Je suis cette conscience pure. Je suis immortel et indifférent au temps. Ne te contente pas de spéculations à mon sujet, de jugements d'adhésion ou de rejet. Plonge dans le problème en écartant un à un les doutes accumulés. Quand nous nous rencontrerons enfin, tu me reconnaîtras. Et mon immortalité ne sera alors plus une simple idée, mais une réalité vivante. »

Leçon 6

*La conscience du magicien appartient
à un champ infini.*

*Les flux de connaissance que renferme
ce champ sont éternels et inépuisables.*

*Des siècles de connaissance sont contenus
dans quelques instants de révélation.*

*Nous sommes des vaguelettes d'énergie
sur un immense océan d'énergie.*

*Quand on évince l'ego,
on accède à la mémoire totale.*

Arthur s'éveilla un matin très tôt, grelottant sur son lit de branchages, et aperçut Merlin qui l'observait du fond de la grotte.

— J'ai fait un cauchemar, marmonna Arthur. J'étais le dernier homme sur terre et j'errais à travers les forêts et les rues désertes.

— Un rêve? dit Merlin. Ce n'était pas un rêve. Tu *es* la dernière personne sur terre.

— Qu'est-ce que tu veux dire? demanda Arthur.

— La seule personne subsistant sur terre n'est-elle pas du même coup la dernière?

— Si.

— Alors, du point de vue de ton image de toi que les humains dans le futur ont appelée l'ego, tu es la seule.

— Comment peux-tu dire cela ? Toi et moi nous sommes ici ensemble, n'est-ce pas ? Et nous avons traversé ensemble des endroits où vivent des milliers de gens.

Merlin secoua la tête.

— Si tu t'efforces de te voir tel que tu es, que vois-tu ? Une créature qui transforme continuellement ses expériences en souvenirs. En disant « Je », tu désignes cet ensemble unique d'expériences appartenant à une histoire individuelle que tu ne partages avec personne. Rien ne semble plus personnel que les souvenirs. Toi et moi, bien qu'ayant cheminé côte à côte, nous avons suivi des chemins différents. Quand nous regardons la même fleur, notre expérience de cette fleur est différente. La moindre larme, le moindre rire sont incommunicables.

Quand Merlin acheva son discours, Arthur semblait désemparé.

— On croirait à t'entendre que tous les humains sont complètement seuls, répliqua l'enfant.

— Pas moi, répondit Merlin. C'est la fonction de l'ego de t'isoler, de t'emprisonner dans un monde impénétrable à autrui.

En voyant l'air effaré de son disciple, Merlin lui parla plus doucement :

— Mais on peut évincer l'ego. Viens avec moi.

Il se leva et emmena Arthur hors de la grotte ;

dans le demi-jour précédant l'aube on apercevait encore les nombreuses étoiles peuplant le ciel.

— À quelle distance se trouve cette étoile, selon toi ? demanda-t-il en désignant Sirius.

Comme c'était le milieu de l'été, elle était brillante et basse sur l'horizon.

— Je ne sais pas. Je suppose qu'elle doit être plus éloignée que je ne peux le mesurer ou l'imaginer, répondit Arthur.

Merlin secoua la tête.

— Elle est tout près. Penses-y : pour que tu puisses apercevoir cette étoile, sa lumière doit atteindre ton œil, n'est-ce pas ? Elle envoie continuellement des rayons de lumière qui traversent l'espace comme des ponts invisibles. Une étoile, qu'est-ce d'autre que de la lumière ? Par conséquent, si elle est lumière aussi bien ici que là-bas et sur le pont qui nous relie à elle, il n'y a pas de séparation entre toi et cette étoile. Vous faites tous les deux partie du même champ de lumière ininterrompu.

— Mais elle semble très éloignée. Après tout, je ne peux pas l'attraper en tendant la main, objecta Arthur.

Merlin haussa les épaules.

— La séparation n'est qu'une illusion. Tu as l'impression d'être séparé de moi et des autres parce que ton ego te persuade que nous sommes tous séparés et seuls. Mais je t'assure que si tu évinces ton ego tu verras tous les êtres humains baignant dans un champ de lumière infini, la conscience. Ta pensée tout entière est issue d'un vaste océan de lumière dans lequel elle finira par retourner un jour, comme toutes les cellules de ton corps. Ce champ de conscience est partout, tel un invisible pont vers tout ce qui existe.

« Il n'existe donc rien en toi qui n'appartienne également à tous les autres êtres — contrairement à ce que croit l'ego. Ton travail consiste à franchir les bornes de l'ego pour plonger dans l'océan universel de la conscience.

Arthur était pensif.

— Il faudra que je réfléchisse à tout cela.

— C'est ça. (Merlin bâilla.) J'ai encore sommeil.

Le magicien se tourna vers la caverne chaude et douillette.

— Oh ! au fait, avant de retourner te coucher, pourrais-tu raccrocher ceci là-haut ?

— Quoi donc ?

Arthur regarda par terre et découvrit à sa grande stupeur Sirius, décrochée du ciel, gisant à ses pieds.

Comprendre la leçon

Comme nous l'avons déjà observé, l'ego s'est chargé du travail de sélection et de validation des expériences. Ce faisant, il s'est isolé, puisque l'acte même de trier et de choisir ouvre une brèche dans la continuité. Entre vous et ce que vous rejetez, il existe également une brèche ainsi qu'entre vous et moi, parce que nous avons choisi de ne pas faire les mêmes expériences — nos ego sont séparés.

En fait nous tenons tous pour acquise l'impossibilité de partager complètement nos expériences. Je ne peux pénétrer toutes vos émotions, vos peurs, vos souhaits et vos rêves, pas plus que vous les miens. Nous devons habituellement nous contenter de construire des passerelles pour communiquer, souvent trop fragiles pour résister longtemps. Tout ce qui vous constitue le plus intimement depuis votre naissance — vos souvenirs et vos expériences — vous enferme dans la solitude et la séparation.

Le magicien, en revanche, n'est jamais isolé, parce que la logique de l'ego est étrangère à sa vision du monde. Par *ego* j'entends le sens du personnel, de l'incommunicable « Je ». Merlin lança un jour à Arthur :

— Essaie de m'oublier si tu peux.

— Comment ? Je ne pourrai jamais t'oublier et je ne le veux pas, rétorqua Arthur, surpris.

Il semblait angoissé, supposant que Merlin le rejetait plus ou moins.

— Veux-tu m'oublier ? lui demanda-t-il.

— Absolument, oui, répondit calmement Merlin. Vois-tu, je désire que nous soyons amis et, quand je me souviens de toi, qu'est-ce qui me vient à l'esprit, sinon une image morte au lieu du moi réel ? Tel est le souvenir, une chose jadis vivante transformée en image morte. Mais aussi longtemps que je pourrai t'oublier tous les jours, je m'éveillerai pour te redécouvrir le lendemain. Je verrai le « toi » réel, dépouillé des apparences rebattues.

Contrer l'emprise de l'ego signifie contrer la

mémoire. Quand ils y parviennent, les hommes cessent d'être isolés. L'esprit individuel implique un rétrécissement de la conscience, un peu comme le monde vu par le petit bout de la lorgnette. Dans le monde du magicien, tous partagent la même conscience universelle. Son flux éternel englobe toutes les pensées, toutes les émotions, toutes les expériences.

— En tant que personne, tu es comme une goutte dans l'océan. En tant que parcelle de la conscience universelle, tu es l'océan tout entier, enseignait Merlin.

— Est-ce qu'une goutte ne se fond pas, ne se dissout pas dans l'océan ? demanda Arthur.

— Non. Un individu n'est jamais effacé, même par l'expérience de l'océan de la conscience, lui assura Merlin. Tu peux être toi-même et le tout simultanément. Cela peut te paraître incompréhensible et pourtant c'est ainsi.

Vivre avec la leçon

Nous nous accrochons tous à nos souvenirs parce qu'ils nous définissent. Mais pour mettre un terme à la séparation et à l'isolement vous devez parvenir à reconnaître l'irréalité de la mémoire. Pensez à quelqu'un que vous connaissez bien — votre mari, votre femme, vos enfants, ou un ami. Représentez-le-vous en détail et demandez-vous ce que vous connaissez réellement de cette personne. Allez au-delà des simples faits, comme la couleur des yeux, le poids, le métier ou l'adresse. Pensez plutôt aux caractéristiques les plus intimes, à ses goûts, à ses antipathies, évoquez les souvenirs et les moments les plus vivants de vos rapports.

Une fois cet exercice fini, vous pouvez estimer que votre portrait de la personne en question est ressemblant. Pourtant, en puisant dans votre seule mémoire, vous n'avez exposé que votre point de vue individuel. La même personne pourrait être décrite de manière complètement différente d'un autre point de vue. Ce qui vous paraît agréable déplaît à d'autres, ce qui vous semble mémorable ne sera absolument pas marquant pour autrui.

Sans aller très loin, vous comprendrez l'extrême relativité de *toute* votre composition. Votre idée de la grandeur est la moyenne ou la petitesse pour autrui. Le lourd et le léger, le blond et le brun, l'amical et l'inamical, etc., aucune de ces qualités n'est absolue. Ce que vous décrivez, c'est votre point de vue et non la personne évoquée. De plus, vos expériences avec cette personne n'appartiennent qu'à vous, ce qui rend votre description encore plus singulière. Si tout ce que vous pensiez savoir de quelqu'un d'autre dessine un portrait indirect de vous-même, cela montre clairement que la fonction de la mémoire est de nous isoler de nos semblables. Nous fragmentons le monde par notre vision individuelle et nous enfermons dans des bulles quasi hermétiques à nos semblables.

Dans la mesure où il est totalement relatif, votre point de vue ne peut être qualifié de réel. La réalité ne dépend pas d'un point de vue —

elle est, tout simplement. Et la plupart des hommes, repliés dans leurs sphères individuelles, ne communiquent pas très souvent avec le réel. L'irréel est le domaine des sens; le réel est celui du magicien. Pour entrevoir la véritable étoffe de la réalité, il faut d'abord écarter le rideau de la mémoire.

Leçon 7

Quand les portes de la perception seront nettoyées, vous commencerez à voir le monde invisible — le monde du magicien.

Vous êtes porteur d'une source de vie où vous pouvez puiser pour vous purifier et vous transformer.

La purification consiste à vous débarrasser des toxines de votre vie — les émotions toxiques, les pensées toxiques, les rapports toxiques.

Tous les corps vivants, physiques et subtils sont des magmas d'énergie directement perceptibles.

Un jour d'été qu'ils somnolaient, allongés au bord d'un ruisseau, Merlin confia à Arthur :

— J'ai lu un poème, étant enfant, il y a long-temps dans le futur. Je me demande s'il va te plaire...

Arthur faisait semblant de dormir, la main posée sur le visage pour s'abriter du soleil de juil-let. Quand Merlin intervertissait futur et passé, l'enfant devait se concentrer pour le suivre. Mer-lin poursuivit :

— Tu as tort d'essayer de m'ignorer car ce poème est trop beau pour être dédaigné.

> Si tu dormais,
> Et si, en dormant,
> Tu rêvais ?
> Et si, dans ton rêve,
> Tu montais au ciel,
> Et y cueillais
> Une fleur étrange et belle ?
> Et si, en te réveillant,
> Tu trouvais la fleur
> Dans ta main ?
> Alors... ?

Comprendre la leçon

À l'état de veille, notre attention est captivée par les sensations visuelles et auditives du monde matériel. Il est donc naturel de supposer que le corps physique est notre seul corps. Quelle est la définition la plus extensive du mot « corps » ? un ensemble de cellules interdépendantes créant une unité organique supérieure. Le corps, irréductible à la somme de ses parties, a la capacité d'agir, de penser et de sentir toutes les fonctions inconnues de la simple cellule.

Appliquons cette définition à un objet inattendu : les sentiments. Chaque jour, vous éprouvez des sentiments isolés qui ressemblent à des cellules individuelles. En les regroupant vous obtenez votre *corps émotionnel*. Votre corps émotionnel est avant tout l'histoire vivante des choses que vous aimez et n'aimez pas ; il contient aussi vos peurs, vos espoirs, vos désirs, etc. Si votre corps émotionnel pouvait marcher dans la pièce, vos amis vous reconnaîtraient immédiatement, parce que le corps émotionnel recèle une énorme part de votre identité.

D'autres corps, également invisibles, augmentent encore votre singularité. Il y a le corps de la connaissance qui a grandi avec vous depuis votre naissance — appelons-le votre *corps mental*. La connaissance est plus subtile que les émotions parce qu'elle se compose de concepts abstraits. Plus subtiles encore sont vos raisons de vivre, vos croyances profondes sur l'existence, sur la nature de la vie — toutes stockées dans votre *corps causal*, cette part de vous-même qui vous permet de comprendre l'existence. C'est là que résident les plus profondes racines de la mémoire et du désir.

Tous ces corps vous sont personnels. Pour reprendre notre exemple, si votre corps mental ou causal pouvait marcher dans une pièce, vous seriez immédiatement identifiable. Donc l'*identité* — le sentiment que vous éprouvez d'être ce « Je » — découle de votre conscience de ces différents corps. Un magicien sait que ce rayonnement va du corps le plus petit vers le plus grand. Le « Je » auquel vous vous identifiez est d'abord le produit de vos croyances et raisons de vivre (corps causal) qui donnent naissance aux idées (corps mental) et aux sentiments (corps émotionnel). Le corps physique ne reçoit l'impulsion de la vie qu'au bout de cette chaîne. Comme le disait Merlin : « Les mortels croient qu'ils sont des machines physiques qui apprennent à penser. En fait ils sont des pensées ayant appris à engendrer un corps physique. »

Vivre avec la leçon

Cette position a d'énormes conséquences pratiques. Si vous vous considérez d'abord et avant tout comme un être physique, votre vie sera très différente de celui qui se considère premièrement et avant tout comme immatériel.

Arthur et Merlin rentraient chez eux d'une randonnée dans le Wode, la grande forêt où résidait le magicien. Comme toujours après l'effort, Arthur était beaucoup plus fatigué que Merlin. Il s'allongea sous un arbre pour faire un somme. À peine eut-il fermé les yeux, cependant, qu'il sentit qu'on lui tapotait les côtes.

— Qu'est-ce qu'il y a ? maugréa-t-il, à moitié endormi. Laisse-moi dormir.

Merlin lui donna encore des petits coups de branche de noisetier en secouant la tête.

— Tu as besoin de tes forces pour rentrer à la maison. Si tu fais la sieste, tu seras épuisé.

— Épuisé ? Mais c'est parce que je suis épuisé que je fais la sieste, répliqua Arthur.

— Peut-être, mais, d'après mes observations, tu te dépenses beaucoup plus en dormant qu'éveillé.

Merlin savait que cette remarque piquerait la curiosité d'Arthur; après s'être retourné plusieurs fois sur l'herbe tendre qui entourait l'arbre, le garçon s'assit.

— Quel genre de travail fais-je en dormant? Pourquoi n'en suis-je pas conscient? demanda-t-il.

— Oh! toutes sortes de travaux, répondit Merlin avec désinvolture. En dormant, ton corps physique se repose et restaure ses forces. Dans les rêves, ton corps émotionnel réalise ses souhaits, ses peurs, ses espoirs et ses fantasmes. Ton corps causal retourne au monde de la lumière, assimilé parfois au paradis. À d'autres, il peut envoyer la solution inopinée d'un problème ou une image survenant à l'improviste après le réveil. Ces intuitions sont des façons de rétablir une étroite coordination entre tous tes corps.

« Cet acte d'autocréation est le plus créatif que tu puisses accomplir. Il s'effectue sur de multiples plans, visibles et invisibles. Il mobilise toute l'intelligence de l'univers, comprimant des milliards d'années de connaissance dans chaque seconde de vie.

« Ne comprends-tu pas, expliquait Merlin à son élève, que l'histoire de l'univers nous a amenés ici à cette seconde? Nous sommes les enfants privilégiés de la création pour qui tout cela a été fait.

Si votre source véritable se trouve dans le monde immatériel, invisible, plutôt que dans le monde physique, alors votre corps ne se réduit pas, en dernier ressort, à un agencement de cellules. Celles-ci ne sont pas les éléments ultimes de la vie, pas plus que les atomes qu'elles contiennent. Le corps se compose d'invisibles abstractions, l'information et l'énergie — toutes deux contenues dans votre ADN.

Mais le magicien plonge encore plus profondément dans l'invisible, il considère vos plus intimes croyances comme les forces les plus puissantes et les plus créatrices. Votre corps physique est issu de l'impulsion vitale contenue dans l'ADN. Sans cette impulsion, l'information et l'énergie demeureraient inertes. De même, vos pensées et émotions se projettent dans le monde à partir des impulsions invisibles de l'intelligence qui élabore votre corps le plus immatériel, le corps causal.

Selon les magiciens, nous devons dormir la nuit pour restaurer tous ces corps après les efforts d'une journée active.

Mais le travail le plus subtil de tous s'accomplit dans un silence absolu. La prochaine fois que vous prendrez conscience d'un état de tranquillité éphémère, pendant lequel ni pensées, ni désirs, ni sentiments ne vous préoccupent, ne le taxez pas de distraction. Votre conscience s'est infiltrée dans les brèches qui séparent vos quatre corps : le physique, l'émotionnel, le mental et le causal. C'est ainsi que nous retournons, dans un profond silence, à la cause première, l'Être pur. C'est le moment du face-à-face avec la matrice de la création — la source de tout ce qui est ou sera — qui n'est rien d'autre que vous-même.

Leçon 8

Le pouvoir est une épée à double tranchant.
Celui de l'ego veut contrôler et dominer.
Celui du magicien est le pouvoir de l'amour.

Le siège du pouvoir est le moi intérieur.

L'ego nous suit comme une ombre.
Son pouvoir engendre intoxication
et dépendance et se révèle finalement destructeur.

L'éternel conflit pour le pouvoir s'achève
par la réconciliation.

Juste avant de quitter Merlin, Arthur devint très maussade. À presque quinze ans, il n'avait guère rencontré d'êtres humains.

— Es-tu triste de partir parmi eux ? demanda Merlin. Après tout, tu es de leur espèce.

Arthur détourna le regard.

— Je suis triste mais pour une autre raison.

— Alors, de quoi s'agit-il ?

— Je voudrais te demander quelque chose, mais je ne sais pas comment, ni si je dois.

— Vas-y.

Arthur hésita.

— Ça ne concerne aucune des leçons que tu

m'as enseignées. Mais ce que je voudrais surtout savoir, c'est-à-dire, si tu veux m'en parler...

Il s'arrêta, incapable d'en dire plus.

— Tu voudrais peut-être savoir ce qu'on
ressent quand on est amoureux?

Arthur acquiesça, soulagé par la justesse de
l'intuition de Merlin. Après quelques instants
de réflexion, le vieux magicien déclara :

— Tout d'abord, n'aie pas honte; la question
que tu poses concerne bien un sujet important.
Dans l'état amoureux il y a quelque chose que
les mots ne peuvent saisir... Mais viens avec
moi.

Merlin conduisit Arthur dans une clairière
baignée par le soleil de midi. Dans la main du
magicien apparut une bougie allumée qu'il
éleva devant le soleil.

— Peux-tu voir si elle est allumée ou non?
demanda-t-il.

— Non, dit Arthur.

La flamme de la bougie avait disparu dans la
tache éblouissante du soleil.

— Regarde, poursuivit Merlin.

Il approcha de la bougie une fleur de coton
qui se consuma instantanément.

— Quel rapport avec l'amour? demanda
l'enfant.

Merlin ne répondit pas. Il se contenta de
cueillir une fleur de gentiane sauvage et d'en
presser deux gouttes sur les doigts d'Arthur.

— Goûte, ordonna-t-il.

Arthur grimaça.

— C'est très amer.

Merlin l'emmena au bord d'un lac et lui ordonna de se laver les mains.

— Maintenant goûte l'eau, ordonna-t-il. Subsiste-t-il une trace d'amertume ?

— Non, reconnut Arthur. Mais quel rapport avec l'amour ? demanda l'enfant.

Merlin, toujours silencieux, entraîna l'enfant avec lui dans les profondeurs de la forêt.

— Assieds-toi et ne bouge pas, dit-il doucement.

Arthur s'exécuta. Quelques instants après, il vit une souris se faufiler entre les herbes à quelques mètres. Une ombre les survola et, avant que la souris ait pu réagir, un aigle l'enleva et l'emporta vers son nid, au sommet des falaises. Arthur, déconcerté, demanda :

— Mais tu devais me parler de l'amour. Quel rapport avec ce que tu m'as montré ?

— Écoute, lui dit son maître. Comme la bougie qui devient invisible quand on la tient devant le soleil, ton ego se dissoudra dans la force de l'amour qui te submergera. Comme le goût amer qui devient indétectable après avoir été dilué dans l'eau, l'amertume de ta vie deviendra, en se mêlant à l'amour, aussi suave que l'eau la plus fraîche. Et, comme la proie que l'aigle dévore, ta fatuité ne sera qu'un éclair dans l'œil de l'amour qui t'engloutira.

Comprendre la leçon

Le pouvoir de l'amour est le pouvoir de la pureté. Le mot *amour* recouvre des sens multiples, mais il est sacré pour le magicien qui lui donne le sens suivant : « Ce qui dissout toutes les impuretés pour permettre au vrai et au réel de se déployer librement. »

— Aussi longtemps que tu seras en proie à la peur, tu ne pourras pas vraiment aimer, avertit Merlin. Aussi longtemps que tu seras en proie à la colère, tu ne pourras pas vraiment aimer. Aussi longtemps que tu seras prisonnier de l'égoïsme de ton ego, tu seras incapable d'aimer vraiment.

— Mais alors comment pourrai-je simplement aimer un jour ? demanda Arthur, sachant que la peur, la colère et l'égoïsme étaient des sentiments qu'il éprouvait très souvent.

— Ah ! voilà le mystère ! répliqua Merlin. Si impur que tu sois, l'amour viendra quand même te chercher et te transformera jusqu'à ce que tu deviennes capable d'aimer. L'amour détecte l'impureté et la détruit. Il n'existe pas d'êtres incapables d'amour, mais seulement des êtres qui ne ressentent pas sa force. Invisible et perpétuel, l'amour dépasse la simple émotion, le sentiment ; il va bien au-delà du plaisir, voire de l'extase. Pour les magiciens, c'est l'air que nous respirons, la sève irriguant chaque cellule. L'amour est une source universelle, omniprésente. Il est le pouvoir suprême, parce qu'il impose sa loi sans user de la force. Même dans la souffrance, le pouvoir de l'amour est encore à l'œuvre, à l'insu de l'ego et de l'esprit. Comparées à l'amour, toutes les autres formes de pouvoir sont dérisoires.

— Es-tu aussi puissant qu'un roi ? demanda Arthur à Merlin.

— Pourquoi crois-tu qu'un roi dispose d'un quelconque pouvoir? rétorqua Merlin. L'autorité d'un roi émane de ses sujets, qui peuvent se soulever à tout moment pour lui reprendre ce pouvoir. C'est pourquoi tous les rois sont tenaillés par la peur — ils savent que tout ce qu'ils possèdent n'est au fond qu'un emprunt. Le plus pauvre de ses sujets est plus riche qu'un roi — du moins jusqu'au moment où il renonce à son pouvoir et se prosterne devant lui.

Le véritable pouvoir de la vie est intérieur. Pour être capable de voir le monde dans la lumière de l'amour, qui ne peut venir que de l'intérieur, il faut ignorer la peur et atteindre une imperturbable sérénité.

Il y a beaucoup de vérités de l'amour auxquelles on ne prête guère attention. Pour être aimé, il faut commencer par donner de l'amour. Pour être sûr qu'une autre personne vous aime inconditionnellement, il ne faut poser aucune condition à votre amour pour elle. Pour apprendre à aimer les autres, on doit d'abord apprendre à s'aimer soi-même. Tout cela semble évident. Mais pourquoi nos actes ne tiennent-ils pas compte de ces évidences?

La réponse du magicien est que l'amour doit être dégagé, débarrassé des sédiments de colère, de peur et d'égoïsme qui le recouvrent comme un vieux crépi. L'accomplissement d'une vie d'amour total présuppose une purification de votre vie actuelle. Il n'existe pas de manière juste ou erronée d'aborder l'amour. « Une personne qui recherche désespérément l'amour, dit Merlin, me fait penser à un poisson qui recherche désespérément de l'eau. » La vie peut paraître extrêmement dépourvue d'amour, mais ce n'est en fait que l'œil qui perçoit, et non le monde « extérieur », qui frustre quelqu'un de l'amour auquel il aspire.

La première étape vers une existence d'amour stable et épanouie suppose une redéfinition de ce que vous appelez actuellement amour. La plupart d'entre nous conçoivent l'amour comme une attraction envers quelqu'un d'autre, comme une force nourricière dont l'affection nous enveloppe, comme un plaisir et une joie, un sentiment ou une émotion puissante. Bien que l'amour participe de toutes ces définitions, le magicien dirait qu'elles sont toutes au mieux partielles.

« L'amour tel que vous, mortels, le définissez doit toujours décliner et périr, disait Merlin. Votre prétendu amour est instable. Il se déplace d'un objet de désir vers un autre. Si vos désirs sont contrariés, il se transforme rapidement en haine. L'amour réel ne peut changer, il n'a rien à voir avec un objet, et il ne peut se transformer en une autre émotion, car il diffère radicalement d'une émotion. »

Une fois écartées toutes les notions fausses ou superficielles de l'amour, que reste-t-il ? La réponse commence à apparaître avec l'acceptation de soi. En tant que force intérieure, l'amour est d'abord compris comme une force intérieure dirigée vers soi-même.

— Les mortels sont fiévreux, l'amour les tourmente et les angoisse, dit Merlin. Ils croient qu'ils vont mourir s'ils ne peuvent obtenir l'objet de leur amour. Mais l'amour, le véritable amour ne peut vous tourmenter parce qu'il ne cherche jamais à s'extérioriser. Le plus désirable des objets d'amour n'est qu'une extension de vous-même. Seule une conscience bornée croit que l'on obtient l'amour d'autrui. Pour un magicien, toutes les formes d'amour émanent du moi.

— Cela a l'air incroyablement égoïste, objecta Arthur.

— Tu confonds le moi avec l'ego, alors que le moi n'est en réalité rien d'autre que l'esprit, répliqua Merlin. L'égoïsme provient de l'ego, acharné à posséder, à contrôler et à dominer. Quand l'ego dit : « Je t'aime parce que tu es à moi », il prononce un jugement de domination et de possession, pas d'amour. Ceux qui ont véritablement appris à aimer se sont d'abord dépouillés de leur égoïsme. L'expérience qui commence alors est tout autre.

— Et à quoi ressemble-t-elle ? demanda Arthur. La connaîtrai-je un jour ?

— Un jour, après que tu auras surmonté cette fièvre et ses tourments, tu verras une petite flamme luire dans ton cœur. Elle aura d'abord la taille d'une étincelle, puis d'une flamme de bougie, puis d'un violent incendie. Alors tu te réveilleras et la flamme engloutira le Soleil, la Lune et les étoiles. À ce moment le cosmos entier sera submergé d'amour — amour qui ne quittera cependant jamais ton cœur.

On n'apprend que progressivement à évincer l'ego; de nombreuses barrières — la peur, l'habitude, l'égoïsme et la colère — nous empêchent d'éprouver l'amour comme le magicien. Votre esprit est la faculté la plus apte à vous familiariser avec la force universelle de l'amour. Grâce aux nouvelles perspectives ouvertes par celui-ci, la rééducation des émotions et des croyances peut commencer.

Quelle est la base du nouveau point de vue de l'esprit? Simplement que l'amour est une force omniprésente et qu'on peut lui confier le soin de ramener l'ordre et la paix dans notre vie. Essayez l'exercice suivant : sortez de votre maison un soir pour contempler le ciel étoilé. Les hommes ont observé ce spectacle durant des siècles et admiré son ordonnance et sa beauté sublimes. Il constitue un exemple parfait de l'harmonie de la nature — en regardant le ciel nocturne, nous pouvons embrasser le temps écoulé depuis des milliards d'années, la chronique de chaque petit progrès de la vie de l'univers, depuis l'organisation du premier atome d'hydrogène et la formation des étoiles, jusqu'à l'avènement de l'ADN. Au cours de cette immense évolution, rien n'a été gaspillé; chaque particule d'information et d'énergie a contribué à vous permettre, à vous qui observez ce spectacle, de considérer aujourd'hui le cosmos comme un tableau vivant retraçant votre passé tout entier.

Les forces qui gouvernent l'univers sont gigantesques, elles dépassent notre entendement, pourtant le processus qui a engendré les atomes d'hydrogène, les étoiles et l'ADN fut extrêmement fragile. L'évolution aurait pu prendre une tout autre direction, une infinité de directions, en fait, qui aurait produit des êtres assez différents de ce que vous croyez être. Sans organisation, sans intelligence, cette harmonie générale de l'évolution n'aurait jamais été possible. Dans la vision magique du monde, le hasard ne peut engendrer l'ordre — l'ordre sous-tend d'emblée la création. C'est pourquoi les forces gigantesques qui tourbillonnent dans l'univers ne s'affrontent pas. Leur existence et leur transformation expriment la tendance de la nature à une expansion infinie.

Rassemblons à présent toutes ces qualités : l'ordre, l'équilibre, l'évolution et l'intelligence. C'est la description de l'amour. Il ne s'agit pas de l'idéal populaire, mais de l'amour du magicien, la force fondatrice et nourricière de la vie. L'esprit qui le découvre commence à comprendre que la force de l'amour est vraiment réelle. Dans le monde moderne, nous nous sommes habitués au hasard, à l'idée que la vie est précaire et menacée à chaque instant. Mais l'histoire de la vie montre qu'elle a survécu pendant des milliards d'années ; elle semble même créer les conditions de sa propre survie en élaborant des réponses d'une profonde, d'une infaillible intelligence. Les circonstances les plus hostiles ne peuvent détruire la vie.

Appliquez cette idée à votre propre vie. Imaginez ses premiers instants, quand, malgré des milliards de probabilités contraires, un unique spermatozoïde est parvenu à féconder un ovule dans l'utérus de votre mère. Votre identité actuelle dépend entièrement de cet acte. Les chances que cet événement survienne semblent infimes, il s'est pourtant produit sans effort. De même, le monde extérieur, avec la pollution, les radiations, ainsi que les mutations accidentelles de vos cellules, vous a assailli de mille façons. Chacune de ces agressions aurait pu détruire vos chances de survie à n'importe quel moment depuis l'instant de votre conception jusqu'à ce jour. Pourtant l'intelligence et la faculté d'organisation qui vous ont engendré ont vaincu ces obstacles avec une aisance apparemment virtuose, malgré toutes les luttes que votre esprit conscient croit nécessaires pour assurer la pérennité de la vie. En vérité, votre esprit conscient serait bien incapable d'anticiper ou de planifier la conception de la vie et son développement, comme de la protéger des terribles dangers qui la menacent.

Si cette facilité apparemment souveraine peut opérer à un niveau inconscient et cellulaire pourquoi n'agirait-elle pas au niveau conscient? Vous apercevez-vous chevauchant la vague de la vie? C'est pourtant ce que vous faites à chaque instant. Vos impulsions personnelles pour penser, sentir et agir ressemblent à la crête d'une vague qui retombe continuellement en avant vers le futur et est sans cesse renouvelée — le renouvellement de l'amour qui sous-tend la vie est semblable au déferlement inlassable des vagues de l'océan.

La compréhension de cette vérité est le commencement de la confiance. Si des forces gigantesques comme la gravité et les immenses énergies qui propulsent les étoiles parviennent à coexister sans se détruire, alors votre propre vie n'est pas menacée. Mais nos peurs et nos doutes sapent cette confiance. Notre croyance invétérée dans la nécessité de la lutte repose sur l'idée que, si nous ne nous battions pas pour notre survie, nous serions écrasés par une nature indifférente et chaotique. Le magicien ouvre une autre voie, en nous invitant à pénétrer dans un monde où la peur, la violence et la destruction ne sont que les projections de fausses croyances. À la lumière de la confiance qui se développe progressivement, vous découvrirez que vous êtes un enfant privilégié de l'univers, totalement en sûreté, totalement soutenu, totalement aimé.

Leçon 9

Le magicien est en état de connaissance.
Cette connaissance gouverne son propre
épanouissement.

Le champ de la conscience s'organise
autour de nos intentions.

La connaissance et l'intention sont des forces.
Vos intentions modifient le champ en votre
faveur.

Les intentions contenues dans les mots
renferment un pouvoir magique.

Le magicien n'essaie pas de résoudre le mystère
de la vie. Il est ici-bas pour le vivre.

Il fallut longtemps à Arthur pour comprendre ce que signifiait : avoir été éduqué par
un magicien. Merlin l'avait emporté dans la
forêt quelques heures après sa naissance, et
Arthur ne comprit la curiosité suscitée par sa
cohabitation avec un *magicien* qu'en retournant dans le monde, bien des années plus tard.

— Si tu as réellement rencontré Merlin,
demandaient les gens (ceux qui acceptaient de
considérer le jeune homme autrement que
comme un fou), quels sortilèges t'a-t-il ensei-
gnés ?

— Quels sortilèges? répétait Arthur.

— Des charmes, des incantations, des mots particuliers qui conféraient à Merlin ses pouvoirs, expliquaient-ils, jugeant Arthur très obtus ou très naïf.

— Merlin m'a appris des choses au sujet des mots, répondait Arthur lentement, en pesant la question. Il disait que les mots ont un pouvoir, cachent des secrets, comme des trappes qui masquent l'entrée de passages souterrains.

Cette explication sonnait bien, mais elle ne satisfaisait toujours pas ses interlocuteurs. Ils voulaient juger sur pièces de l'efficacité des sortilèges de Merlin.

— Eh bien, répondait Arthur, quand j'étais un nourrisson, je me souviens de Merlin me disant : « Mange. » Quand je fus un peu plus vieux, il m'ordonna : « Marche », et si je restais éveillé trop tard il disait : « Dors. » Étant donné que je mange, marche et dors tous les jours depuis cette époque, il me semble que ces sortilèges ont été efficaces, n'est-ce pas?

Personne n'approuvait. Ses interlocuteurs partaient en se demandant si le jeune écuyer simplet de sire Hector arriverait jamais à quelque chose.

Comprendre la leçon

Le pouvoir des mots ne réside pas dans leur signification superficielle mais dans leurs qualités invisibles. Un mot renferme par exemple connaissance et intention. Ce sont des qualités magiques. La magie de la connaissance consiste à déceler de multiples strates d'expérience — en fait une histoire entière — contenues dans quelques syllabes.

— Appelle ton royaume Camelot, conseilla Merlin au garçon avant de l'envoyer dans le monde.

— Pourquoi ? demanda Arthur.

— C'est un nouveau mot qui n'a pas à supporter le poids de l'histoire comme *Angleterre* par exemple. Les gens l'identifieront avec toi et tous ceux que tu rassembleras autour de toi. Il servira de pierre de touche. À l'instant où les gens le prononceront, ton règne tout entier et tes nombreux exploits surgiront devant eux comme s'ils appuyaient sur un levier et qu'un cabinet somptueux leur dévoilait ses richesses secrètes.

Cette prédiction se vérifia.

Tous les mots les plus riches de la langue recèlent des passages secrets vers la signification et la connaissance. Mais la seconde qualité des mots, l'intention, est encore plus puissante. Elle s'exprime quand Merlin, comme n'importe quel père, enjoint à son enfant de manger, de marcher et de dormir. C'est à travers ces mots que nous apprenons tous d'importantes fonctions, bien qu'une fois ces fonctions apprises nous n'ayons plus besoin des mots. Vous ne vous ordonnez plus de manger, de marcher ou de dormir. Vous avez assimilé l'intention contenue dans le mot depuis longtemps et désormais un simple rappel suffit (« Je crois que je vais aller dormir ») pour ressentir l'effet escompté.

Est-il vraiment pertinent d'assimiler le mot à un sortilège comme le fait Arthur ? Oui, car, une fois l'intention d'un mot comprise, le sortilège est intériorisé sous forme d'empreinte mentale. Dites le mot *école* à n'importe qui et il se remémorera immédiatement son expérience de l'école. Un bon étudiant se représentera sa réussite et les éloges qu'il a reçus, et un cancre l'échec et les critiques. Toutes les époques de notre vie sont stockées en nous sous forme d'empreintes réactivées par des mots. « Les mortels sont emprisonnés dans les mots comme des mouches dans une toile d'araignée, déclarait Merlin, mais ils sont à la fois l'araignée et la mouche parce qu'ils se prennent eux-mêmes dans leur toile. »

Nous utilisons tous nos propres mots pour assimiler les habitudes qui permettent à la vie de se poursuivre inconsciemment. Nous avons déjà décrit la manie de nommer et d'étiqueter. Il s'agit bien sûr de mots et de rien d'autre. Mais quels mots nous permettront de rompre avec nos vieilles habitudes et nos identifications bornées ? Si chaque mot enfonce son empreinte dans l'esprit, si chaque mot enferme et limite ?

— Le paradoxe des mots, dit Merlin, est que vous devez les employer pour vous former et vous entraîner. Marcher, parler, lire sont des fonctions qu'ignore un nouveau-né. La tâche du père et de la mère consiste à enseigner le monde à un enfant et cela passe par les mots. Le problème, c'est que les mots renferment également des connotations psychologiques.

C'est à travers les mots que les parents donnent aux enfants le sentiment de bien ou de mal faire, d'avoir raison ou tort. Les expressions les plus fortes que quelqu'un puisse employer sont *oui* et *non*. Ces deux syllabes peuvent créer des liens ou au contraire les détruire. Tout ce que vous pensez avoir le droit de faire dépend d'un oui enfoui au fond de vous-même, généralement prononcé par un parent ou un professeur dans un lointain passé. Tout ce que vous pensez ne pas devoir faire est lié à un non enfoui dans ce même passé.

— En quoi est-ce un paradoxe ? demanda Arthur.

— Parce que, même si les mots nous disent qui nous sommes, nous sommes toujours plus complexes que ce qu'ils expriment. Quelle que soit la puissance de suggestion des mots du passé, les êtres gardent leur capacité de changer. Les mots ont aussi le pouvoir de créer quelque chose de nouveau, pas seulement des limites.

Le magicien utilise les mots pour contrarier nos vieilles habitudes de négation. C'est également, d'une autre manière, le propos de ce livre : tisser un nouveau monde de significations pour remplacer les vieilles significations avec lesquelles nous avons grandi. Mais le mystère est encore plus profond. Les mots renferment à la fois connaissance et intention, c'est pourquoi la réalisation d'une intention est subordonnée à sa formulation. La prière et l'affirmation en sont deux bons exemples. Affirmer : « Je suis bon », ou prier Dieu avec des phrases comme : « Guéris-moi, Seigneur » dépassent la simple expression verbale de pensées.

Quand un mot est soutenu par une intention, il entre dans le champ de la conscience comme un message ou une demande. L'univers est averti que vous avez un certain désir. Il n'en faut pas plus pour que vos désirs se réalisent parce que la capacité de calcul de la conscience universelle est infinie. Tous les messages sont entendus et traités.

« Les mortels et les magiciens ne sont pas si différents que tu peux le croire, dit Merlin. Ils envoient leurs désirs dans le champ de la conscience en espérant une réponse, mais les messages des mortels sont déformés et brouillés. Ceux des magiciens sont limpides comme du cristal. Aucune intention n'est jamais ignorée, mais il peut surgir des obstacles à leur accomplissement à cause des multiples conflits qu'elles renferment, tous ceux qui agitent le cœur des hommes. »

Vivre avec la leçon

Vivre avec cette leçon implique de reconnaître que chacune de vos intentions vise un certain résultat. Un magicien est quelqu'un qui sait exactement comment envoyer des intentions dans la conscience universelle et attendre leur réalisation. La plupart d'entre nous n'atteignent pas ce niveau de conscience. Nous envoyons aussi, continuellement, des intentions dans le champ, mais nous le faisons inconsciemment. Nos désirs, hasardeux, répétitifs ou obsessionnels sont des gaspillages d'énergie.

« Vous autres mortels considérez l'effort comme la condition de réalisation de vos désirs, dit Merlin. Alors qu'en fait l'essentiel du travail que vous effectuez n'aboutit qu'à *empêcher* vos rêves de se réaliser. Du point de vue du magicien, moins l'effort est grand, mieux cela vaut. L'enseignement des magiciens montre à leurs disciples comment penser d'une manière plus ordonnée, plus consciente, plus efficace. Pour y parvenir, il faut commencer par éliminer les habitudes de pensée qui font obstacle à la réalisation de vos désirs par l'univers. Imaginez votre esprit comme un émetteur radio bombardant le champ cosmique de messages. Si vous restez assis tranquillement et observez votre esprit, vous remarquerez qu'il foisonne de signaux contradictoires : nous doutons des projets que nous voulons accomplir; nous ne sommes pas sûrs de l'être que nous voulons devenir.

De la même manière, l'esprit ne cesse de se répéter inutilement. On a démontré que quatre-vingt-dix pour cent des pensées d'une personne un jour donné sont les mêmes que celles de la journée précédente. Cela vient de ce que nous sommes tous des êtres pétris d'habitudes, de soucis, d'obsessions. L'esprit est sans cesse parasité par des pensées inconscientes qui le renvoient aux souvenirs enfouis depuis l'enfance. Vous ne prêtez peut-être attention qu'à vos pensées conscientes et volontaires mais, à l'arrière-plan, votre inconscient bouillonne d'espoirs frustrés, de peurs anciennes et de souhaits — bref, de tout ce qu'il n'a pas réussi à accomplir dans le passé.

Vos intentions sont simplement des désirs et ces désirs traduisent vos besoins. Par conséquent, toute cette activité insatisfaite de l'esprit renvoie à de vieux *besoins* frustrés. Il vous est arrivé des milliers de fois dans le passé de penser : « Je veux », ou : « Je souhaite », ou : « J'espère », mais ou bien il n'en résultait rien de tangible ou bien ce qui se produisait décevait plus ou moins votre attente.

— Je voudrais pouvoir purger complètement ton esprit, maugréa un jour Merlin, frappé par la grande confusion du comportement d'Arthur. Ta pensée devrait couler de source, au lieu de cela, c'est un champ de bataille.

— Pourquoi ne peux-tu me purger complètement l'esprit ? demanda Arthur avec candeur.

— Parce que toutes les pensées et les êtres qui l'occupent sont toi-même. (Merlin soupira.) Tu es constitué par ces strates de vieux conflits répétitifs, et ils ne cesseront pas tant que tu n'auras pas changé.

Le premier pas vers le changement est la *reconnaissance*. Reconnaissez que quelques-uns de vos espoirs et de vos souhaits se sont réalisés. De façon inespérée, sans que vous ayez fait quoi que ce soit, des personnes vous ont téléphoné juste au moment où vous aviez besoin d'elles, l'aide est venue d'où vous ne l'attendiez pas, vos prières ont été exaucées. Tout cela s'est produit dans le champ de la conscience. En envoyant une de vos intentions dans la conscience universelle, vous vous adressez en fait à un autre aspect de vous-même. En tant qu'émetteur de ce message, vous êtes un individu vivant ici, dans le temps et l'espace. Mais vous êtes également le récepteur du message, en tant qu'habité par un moi supérieur qui gouverne votre identité spatio-temporelle. Et, plus encore, vous êtes le médium du message, la conscience pure elle-même.

Une vision authentique doit allier ces trois composantes de vous-même — émetteur, récepteur et médium. Il y a beaucoup de variations sur le thème : vous êtes le souhait, celui qui souhaite et celui qui exauce. Vous êtes l'observateur, l'observé et le processus d'observation. Cette trinité renvoie à une unité. C'est pourquoi la projection d'une intention dans le champ et l'obtention d'une réponse en retour n'exige de vous aucun travail. Compte tenu de votre unité profonde, vous vous consacrez entièrement à l'accomplissement de vos intentions. C'est une occupation permanente. Il n'existe pas une seule de vos pensées qui ne produise d'effet en retour.

Notre tort consiste à méconnaître les résultats qui ne sont pas assez probants, qui ne remplissent pas immédiatement nos objectifs, qui ne coïncident pas avec les jugements de notre ego sur ce qui *devrait* arriver. « Vous autres mortels vivez dans un monde de *devrait* et de *si...*, disait Merlin. Je vis dans le monde de *ce qui est*. »

Quand vous apprendrez à pacifier et à purifier votre esprit de ses perpétuels conflits, vous découvrirez la simple réalité du fonctionnement de l'univers — *ce qui est*. Je reviendrai plus longuement sur ce point dans la troisième partie de cet ouvrage. Pour l'instant, consacrez chaque jour quelques instants à recenser les préoccupations de votre esprit. Cette opération très simple est l'un des moyens de changement les plus efficaces. Mais vous ne pourrez changer que ce que vous aurez *vu*.

Il se peut que votre ego répugne à admettre que vous êtes pétri de négations, d'antagonismes, d'intentions contradictoires, de honte, de culpabilité, et de toutes les autres confusions qui obscurcissent l'esprit et l'empêchent de voir la réalité de *ce qui est*. En fait, l'ego se félicite de sa capacité à vous dissimuler ces choses sous le prétexte que vous souffririez si vous découvriez vos erreurs, vos fautes et vos péchés.

La seconde étape consiste à apprendre comment *réaliser vos intentions*. Les étapes sont complètement naturelles, mais elles nécessitent un apprentissage. Tâchez de tenir à distance toutes les attentes, les anticipations de votre ego. Au lieu de vous sentir obligé de contrôler le résultat de vos intentions, assurez-vous que le champ de la conscience fera ce travail pour vous. Projetez votre intention dans l'intemporel. Plus votre conscience sera dilatée, plus clair sera le signal que vous émettrez.

Enfin, restez *naturel et décontracté* durant tout ce processus. Quand toutes ces étapes seront franchies, votre intention pénétrera dans le champ de la conscience, qui agit comme une matrice et connecte votre pensée individuelle à tout ce qui est. L'évolution spontanée vers un résultat positif ne sera ni entravée ni empêchée par les angoisses et les manies de votre ego craintif.

Aucune des zones d'ombre de notre esprit n'est un péché. « Souviens-toi toujours, lança Merlin à Arthur, Dieu ne juge pas, seul l'esprit juge. » Dieu veut la réalisation de tous les désirs sincères de chaque être humain ; réaliser nos désirs est notre vocation naturelle en tant que créateurs de notre propre réalité.

Leçon 10

Nous renfermons tous un moi obscur qui est une part de notre réalité totale.

Cette part d'ombre n'a pas pour fonction de nous blesser mais de faire ressortir notre imperfection.

Quand l'ombre est acceptée, elle peut être guérie. Quand elle est guérie, elle se transforme en amour.

Quand vous pourrez concilier toutes vos caractéristiques opposées, vous coïnciderez complètement avec vous-même, comme le magicien.

— Tu ne sembles jamais souffrir de la solitude, fit un jour remarquer Arthur à Merlin.

Sa voix était teintée de mélancolie. Le magicien le regarda attentivement.

— Non. Il est impossible d'être seul.

— Peut-être pour toi, mais...

L'enfant s'arrêta net et se mordit la lèvre. Puis, ne pouvant se retenir plus longtemps, il s'exclama :

— C'est tout à fait possible de se sentir seul !

Il n'y a personne dans ces bois hormis toi et moi et, bien que je t'aime comme un père, il y a tout de même des moments...

Arthur se tut, ne sachant qu'ajouter.

— Il est impossible d'être seul, répéta Merlin plus fermement.

La curiosité d'Arthur l'emporta sur sa véhémence.

— Je ne vois pas pourquoi, dit-il.

— Eh bien, il nous suffit de considérer deux catégories d'êtres, commença Merlin. Les magiciens et les mortels. Il est impossible aux mortels d'être seuls à cause de toutes les personnalités antagoniques qu'ils contiennent. Il est impossible aux magiciens d'être seuls parce qu'ils n'ont aucune personnalité.

— Je ne comprends pas. Qui suis-je d'autre que moi-même ?

— Commence par te demander qui est celui que tu appelles « moi-même ». Malgré le sentiment d'être unique, tu es en fait un amalgame de multiples êtres, et tes nombreuses personnalités ne coexistent pas toujours harmonieusement, loin s'en faut. Tu es divisé en dizaines de factions, qui rivalisent toutes pour le contrôle de ton corps.

— Est-ce vrai pour tout le monde ? demanda l'enfant.

— Oh ! oui. Jusqu'à ce que tu trouves ta voie vers la liberté, tu seras retenu en otage par le conflit qui oppose tes personnalités intérieures. Selon mon expérience, les mortels sont sans cesse aux prises avec des guerres intimes qui engendrent toutes sortes de factions.

— Pourtant je m'éprouve comme un seul être, protesta Arthur.

— Je n'y peux rien, rétorqua Merlin. Ton sentiment d'unité intérieure est le résultat de l'habitude. Tu pourrais tout aussi bien te voir comme je t'ai décrit. Ma description est plus vraie, parce qu'elle explique pourquoi les mortels semblent si fragmentés et déchirés aux yeux d'un magicien. Tout compte fait, la rencontre avec un mortel est si déconcertante que j'ai souvent l'impression de m'adresser à un village tout entier rassemblé en un seul individu de chair et d'os.

L'enfant eut l'air songeur.

— Alors comment se fait-il que je me sente si seul? Car c'est le cas, maître, pour ne rien te cacher.

Merlin jeta à son disciple un regard perçant.

— Avec tous ces êtres qui se bagarrent pour dominer ton corps, il semble merveilleux que tu puisses jamais être seul. Ma conclusion est que la solitude existe dans la mesure où les autres existent. Aussi longtemps qu'il y aura un « Je » et un « Tu », le sentiment de séparation et donc d'isolement sera inévitable. Qu'est-ce que la solitude, sinon un synonyme de l'isolement?

— Mais il y aura toujours d'autres êtres dans le monde, protesta Arthur.

— En es-tu si certain? répliqua Merlin. Il existera toujours des gens — c'est indéniable —, mais seront-ils toujours d'*autres* êtres?

Attends d'être parvenu au terme de la voie du magicien pour me donner ton opinion à ce sujet.

Comprendre la leçon

En vous examinant attentivement, vous découvrirez de multiples personnalités en lutte pour le contrôle de votre corps. Ainsi le conflit entre le bien et le mal engendre deux personnalités, le « saint » et le « pécheur ». Ils ne cessent de se disputer, l'un des deux espérant toujours être assez bon pour satisfaire Dieu, l'autre sans cesse en proie à de « mauvaises » impulsions qu'il ne parvient pas toujours à réprimer.

Puis viennent les rôles auxquels vous vous identifiez, l'enfant, le parent, le frère, la sœur, le mâle, la femelle, sans parler de votre travail — médecin, juriste, prêtre, puéricultrice, etc. Chacun de ces rôles s'est emparé de vous et s'efforce de vous annexer pour faire triompher son point de vue étroit. Nous n'avons même pas mentionné votre rapport à la nation ou à la religion et les problèmes insolubles qui en découlent.

Ces personnalités sont habituellement en conflit. Dans l'état que nous appelons bonheur, l'essentiel de ce conflit s'est apaisé. À votre naissance, cette guerre n'existait pas, parce que les nouveau-nés n'éprouvent pas de conflits au sujet de leurs désirs. Les enfants ne distinguent les voix du bien et du mal que quand ils deviennent capables d'apprendre ces notions de leurs parents.

— Tu pourras devenir un magicien le jour

où tu recommenceras à penser comme un nouveau-né, affirma Merlin.

— Comment un nouveau-né pense-t-il? demanda Arthur.

— D'abord par sensations. Un nouveau-né ressent le besoin de manger ou de dormir. Quand les sensations l'assaillent, le nourrisson les associe au plaisir ou à la douleur et il réagit en conséquence. Un nourrisson n'éprouve aucune inhibition à rechercher le plaisir et à fuir la douleur.

— Je ne vois là rien d'exceptionnel, dit Arthur. Les nourrissons pleurent, sourient, tètent et dorment.

— Bien des mortels adultes se contenteraient de ce mode de vie, marmonna Merlin. Atteindre un état de satisfaction ici-bas, dans ce monde, constitue une prouesse.

Le nouveau-né perd rapidement l'instinct innocent de ce qui est bon et mauvais pour lui. Différentes voix commencent à le tirailler, et d'abord la voix de sa mère disant « oui » et « non », « bon bébé » et « vilain bébé ». Tant que « oui », « non », « bon » et « mauvais » concordent avec la volonté du nourrisson, tout va bien. Mais les besoins de l'enfant finissent inévitablement par entrer en conflit avec la volonté des parents. Le monde intérieur et le monde extérieur commencent à se combattre. Très vite les germes de la culpabilité et de la honte sont semés. Le nouveau-né qui ignorait la peur commence à l'éprouver. Il apprend à douter de ses propres instincts. L'impulsion interne : « Je veux cela » se transforme en question : « Est-ce bien de vouloir cela ? »

Durant toute notre vie, nous essayons de revenir à l'état d'autoacceptation que nous avons connu à la naissance. Les questions se multiplient au fur et à mesure que nous grandissons et nous entassons dans les cavernes secrètes et les recoins obscurs de la psyché autant de doutes, de honte, de culpabilité et de peur que nous pouvons. Ces sentiments demeurent vivants, si profondément enfouis soient-ils. Tous les conflits intérieurs que nous trouvons si difficiles à résoudre nous renvoient à notre part obscure.

— C'est intéressant de voir la Cour, déclara un jour Merlin à Arthur après son couronnement. Je ne m'étais jamais aperçu que tous les mortels faisaient le même travail.

— Vraiment ? demanda Arthur. De quel travail s'agit-il ?

— Gardien de prison, répliqua Merlin, qui refusa de préciser sa pensée.

Aux yeux d'un magicien, nous sommes tous les gardiens de prison de notre moi obscur. L'inconscient est la prison dans laquelle les énergies refoulées sont enfermées, non parce que c'est nécessaire, mais parce que nous avons été modelés par des années de oui et de non, de bien et de mal. Ayant réfléchi aux propos de Merlin, Arthur vint le trouver et lui déclara :

— Je ne veux pas être ainsi. Comment puis-je changer ?

— Rien de plus facile, répondit Merlin.

Considère simplement que tu joues les deux rôles, le prisonnier et le gardien. Étant les deux faces de la médaille, tu n'es aucune des deux car elles s'annulent. Admets ce fait et sois libre.

— Je ne sais comment, protesta Arthur. Comment trouver ce moi obscur dont tu parles ?

— Contente-toi d'écouter. Comme tous les prisonniers, il envoie des messages en tambourinant sur les murs de sa cellule.

Le moi obscur n'est qu'un rôle de plus, une des identités que nous possédons mais n'exhibons pas en public. La plupart du temps, le moi obscur est trop embarrassant ou peureux pour que nous l'exposions au grand jour. Mais on ne saurait douter de son existence, car chacun de nous a créé sa propre part obscure, un double intérieur dont la mission est de se charger de toutes les énergies que nous avons été incapables de décharger. Pour un nouveau-né, le problème de la conservation de sentiments mauvais ou malsains n'existe pas. À l'instant même où vous projetez quelque chose de négatif dans l'environnement d'un nourrisson, il pleure ou se détourne.

Cette réaction est extrêmement saine, parce que, en s'exprimant de façon aussi libre, il peut se décharger d'énergies qui s'accumuleraient en lui. En grandissant, toutefois, nous avons appris qu'il n'est pas toujours judicieux de donner libre cours à nos impulsions. Au nom de la politesse et du tact, des convenances, ou des principes inculqués par nos parents, chacun de nous a appris à refréner ses énergies « négatives ». Nous sommes devenus des piles de plus en plus chargées d'électricité et, une fois adultes, nous regorgeons de vieux sentiments de colère, de rancune, de frustration et de peur. Mais le pire, c'est que nous avons oublié l'instinct de décharger nos piles.

— Ça t'intéressera beaucoup un jour de découvrir à quel point tu ressembles à une bombe, déclara Merlin au jeune Arthur.

— Qu'est-ce qu'une bombe ?

— Si tu vivais à contretemps, la seule manière sensible de vivre, tu le saurais. (Merlin réfléchit une seconde.) Imagine une vessie de porc que tu gonfles jusqu'à ce qu'elle éclate. Une bombe fonctionne de la même façon, à ceci près qu'elle éclate si fort qu'elle tue des gens.

— Mon Dieu ! Est-ce qu'on ne pourra empêcher ça à l'avenir ? demanda Arthur avec inquiétude.

— Non, tu ne comprends pas. Les bombes explosent *pour tuer* des gens. C'est leur but. Je mentionne ce fait parce que les bombes ressemblent beaucoup aux mortels, eux-mêmes toujours sur le point d'exploser. L'explosion d'un obus n'est rien d'autre que la traduction d'une explosion de rage. Si les humains pouvaient exploser et tuer des gens sans crainte de représailles, la plupart le feraient.

Vivre avec la leçon

Pour mettre fin à la guerre qui sévit en vous, il faut réconcilier toutes vos personnalités. Vous pouvez soulager le moi obscur de son fardeau d'énergies accumulées et donc créer les conditions de la paix intérieure, car c'est la peur d'être blessé qui engendre la discorde entre vos différentes voix intérieures. Mais vous ne pourrez commencer à résoudre ces tensions qu'après avoir cerné les profils de vos personnalités.

Les personnalités sont toujours faites de la même substance, une vieille énergie liée à un souvenir. Supposons par exemple que vous vous souveniez d'avoir été puni, étant enfant, pour une faute que vous n'aviez pas commise. L'énergie du ressentiment ou de l'injustice éprouvée restera liée à ce souvenir et vous commencerez à construire un fragment de votre personnalité — d'enfant rancunier — qui restera prisonnière de sa vision bornée des choses jusqu'à ce que cette énergie soit libérée. Le souvenir de l'enfant rancunier attend de libérer son énergie longtemps muselée et vous accompagnera jusqu'à cet instant de libération.

Vos personnalités intérieures prennent des formes plus ou moins agréables suivant que vos souvenirs sont liés au plaisir ou à la douleur. Le souvenir d'une récompense reçue pour un bon travail est agréable, alors que celui des critiques est désagréable. Mais ces souvenirs opposés ne s'annulent pas l'un l'autre. Ils se combattent réciproquement tout en demeurant intacts. Il est dans la nature des jugements d'affirmer : « J'ai raison », même si l'expérience suivante est totalement contradictoire. La critique de la punition injuste sera ressassée, le scénario se répétant encore et encore, tandis que, dans la case voisine, une autre énergie, liée au souvenir de traitements et de récompenses équitables, exprimera son point de vue.

Vous pouvez aisément retrouver ces énergies réprimées. Restez assis quelques instants, seul, dans une pièce tranquille. Inspirez et expirez librement. Puis, sans modifier votre manière de respirer, recherchez simplement un rythme agréable, une certaine fluidité. Attendez que votre respiration soit bien posée et harmonieuse. Quand vous y êtes, essayez de vous rappeler un incident extrêmement désagréable de votre passé, qui réveille des émotions violentes et négatives comme la honte, l'humiliation ou la culpabilité. Supposons que vous ayez été pris sur le fait en train de tricher à un examen ou de voler. Peu importe que l'incident ait été anodin ou grave — vous cherchez une émotion encore vivace.

Rappelez-vous cet incident en détail et laissez-vous aller à revivre les sentiments qu'il avait alors engendrés. Écoutez votre respiration, elle n'est plus du tout harmonieuse. Suivant le type d'émotion que vous ressentirez, elle deviendra heurtée ou haletante. Il se peut même que vous ayez le souffle coupé ou qu'elle se bloque. La respiration reflète fidèlement l'enchaînement des pensées et particulièrement des souvenirs émouvants. Vous découvrez les trois éléments dont nous avons parlé — la mémoire, l'énergie et l'attachement. Quand ils apparaissent tous les trois, vous commencez à entrevoir votre infrapersonnalité.

Toutes les infrapersonnalités veulent la

même chose : s'exprimer à travers vous. Le nouveau-né qui pleure, l'enfant solitaire, l'adolescent frustré, l'amoureux transi, le travailleur ambitieux, tous ces personnages veulent vivre à travers vous. Et ils y parviennent tant bien que mal. Aucune de ces personnalités ne parvient, seule, à un complet épanouissement. Toutes doivent donc réclamer leur place au soleil — ou à l'ombre.

Il en résulte un conflit qui rend la vie humaine si ambiguë, si pleine de clair-obscur. Le magicien, lui, s'épanouit exclusivement dans la lumière. Comme les enfants, il ne réprime aucune énergie. Délivré de tous les refoulements accumulés qui alimentent notre guerre intérieure, le magicien transcende sa personnalité pour s'installer au sein de la pure conscience. Le passage de l'état de mortel à celui de magicien peut paraître mystérieux, mais il est en fait complètement naturel. La seule condition est l'*équilibre*, que le flux de la vie est parfaitement capable de préserver.

Il existe de nombreuses façons de libérer d'anciennes énergies. L'une des plus efficaces consiste simplement à reconnaître leur existence. Au lieu de nier que vous ressentez de la honte ou de la culpabilité, par exemple, regardez-vous et dites simplement : « C'est ce que je ressens. » Cette brève prise de conscience suffit souvent, car c'est la dénégation qui, en dernier ressort, empêche toutes les énergies refoulées de se libérer. Surmontez la dénégation et la moitié de la bataille est gagnée. La reconnaissance est une des formes de l'autoacceptation, toutefois la honte et la culpabilité étant des énergies que vous voulez évacuer et non perpétuer, il n'est pas nécessaire de les ressasser. Mais il est parfaitement pertinent de vous dire : « J'éprouve ces sentiments. Ils sont réels. »

L'une des meilleures techniques pour surmonter la dénégation fait à nouveau appel à la respiration. Allongez-vous dans une pièce tranquille et décontractez-vous. Puis inspirez librement — superficiellement ou profondément, rapidement ou lentement — et expirez naturellement, sans ralentir ni accélérer. Il se peut que votre respiration s'accompagne de soupirs ou de râles, cela n'a pas d'importance.

Inspirez et expirez à nouveau, simplement, sans forcer ni retenir votre souffle. Tout en continuant à respirer de cette manière, laissez remonter toutes les images et les émotions latentes pour les expulser. Vous pouvez activer ce processus en concentrant votre attention sur votre cœur ou n'importe quelle autre partie très réactive du corps — certains organes sont extrêmement réceptifs aux émotions.

Au cours de cet exercice, vos énergies réprimées vont commencer à s'extérioriser. Les symptômes de cet épanchement peuvent comprendre des souvenirs flous, des sensations « fantômes » ainsi que des manifestations d'émotion spectaculaires comme les pleurs. (Si vos impressions deviennent trop violentes, arrêtez simplement l'exercice et reposez-vous, les yeux fermés, pendant cinq minutes.) La plupart des gens ont emmagasiné tellement d'énergie qu'ils s'endorment rapidement en respirant ainsi — trahissant une fatigue profondément réprimée, soudain libérée par l'organisme.

Si vous ne ressentez aucune libération d'énergie du type de celles que j'évoque, c'est que votre esprit les empêche. On peut « court-circuiter » l'esprit en modifiant le rythme respiratoire : essayez de haleter superficiellement et assez vite. Cette respiration rapide, superficielle, rythmée, distraira l'esprit conscient et permettra aux énergies de franchir ses barrières. Vous pouvez respirer ainsi durant une minute ou deux mais pas plus longtemps, car la libération peut rapidement s'avérer trop forte.

Cet exercice peut être répété pour extérioriser de vieilles énergies réprimées, mais il est aussi très utile pour apprendre à évacuer toute nouvelle émotion ou impression cherchant à s'exprimer. Comme tous les aspects de vous-même, votre part obscure cherche à se manifester et à s'échapper, et la première étape consiste à trouver un moyen naturel et confortable de libérer les énergies négatives au lieu de les accumuler dans les recoins obscurs de l'esprit.

Leçon 11

Le magicien enseigne l'alchimie.

L'alchimie est la transformation.

*À travers l'alchimie, vous commencez
votre quête de la perfection.*

*Vous êtes le monde. Quand vous vous
transformerez vous-même, le monde
dans lequel vous vivez sera aussi transformé.*

*Les buts de la quête — l'héroïsme, l'espoir,
la grâce et l'amour — constituent un legs
intemporel.*

*Pour faire appel à l'aide d'un magicien, vous
devez être fort dans la vérité et libre de préjugés.*

Après avoir quitté Merlin, Arthur alla vivre
avec sire Hector, un chevalier âgé, et son fils
Kaï. On lui donna le titre d'écuyer, titre purement formel puisque Arthur n'avait ni famille
ni biens. Il n'avait pas de quoi s'acheter ses
propres vêtements, et personne ne croyait vraiment qu'il était issu d'une famille noble. Dès
que sire Hector avait le dos tourné, les garçons
d'écurie jetaient des mottes de terre sur Arthur,

et les servantes murmuraient qu'il s'adonnait à la magie noire.

Arthur était donc presque toujours seul. Un jour qu'il était assis à la lisière d'un bosquet de chênes et examinait un pichet cabossé en plomb, Kaï s'approcha de lui et lui demanda d'un ton soupçonneux :

— As-tu volé ce pichet ?

— Non, répondit Arthur en secouant la tête, je l'ai emprunté.

— Pourquoi ?

— L'alchimie.

Kaï écarquilla les yeux. Il avait entendu dire que les magiciens étaient capables de transformer les métaux ordinaires en or.

— On t'a enseigné l'alchimie ? demanda-t-il.

Arthur acquiesça.

— Si tu es capable de changer le plomb en or, ajouta Kaï, excité, notre famille deviendra la plus riche d'Angleterre. Montre-moi.

Arthur acquiesça et fit signe à Kaï de s'asseoir à côté de lui dans l'herbe. Sans ajouter mot, il commença à fixer le pichet en plomb. Après quelques instants, Kaï remarqua que les yeux d'Arthur étaient fermés. Il attendit, de plus en plus impatient, mais, quand Arthur rouvrit les yeux un quart d'heure après, le pichet était inchangé.

— Tu n'es qu'un imposteur ! s'exclama Kaï furieusement, ce pichet est toujours en plomb.

Imperturbable, Arthur le regarda.

— Mais bien sûr qu'il l'est. Ce n'est qu'un rappel. C'est *moi* que j'essaie de changer en or.

Comprendre la leçon

L'alchimie est l'art de la transformation. La doctrine alchimique et les secrets que nous ont légués les magiciens visent à délivrer les mortels de la souffrance et de l'ignorance pour les conduire vers l'illumination et la félicité. Merlin dit :

— L'alchimie ne cesse jamais. Tu ne peux empêcher les transformations de se produire à tous les niveaux de la vie. C'est *ta* transformation qui m'intéresse. Comparée à elle, la transformation des métaux ordinaires en or est triviale.

L'alchimie est une quête et celle-ci vise toujours le même but : la perfection. Exactement comme l'or est le plus parfait des métaux, parce qu'il est incorruptible, la perfection chez un être humain signifie la délivrance de la souffrance, du doute et de la peur.

— Mais si les êtres humains ne peuvent s'améliorer ? Si nous sommes vraiment aussi faibles et imparfaits que nous le paraissons ? demanda Arthur.

— Le secret ne réside pas dans ton apparence, mais dans la profondeur de ta volonté, répondit Merlin.

Les quêtes sont des voyages personnels et chacun progresse comme il peut. Mais Merlin avait beaucoup à apprendre à Arthur avant que celui-ci entreprît sa quête.

— Je t'ai souvent répété que ce sac de chair et d'os n'est pas ton corps, que la personnalité limitée à laquelle tu t'identifies n'est pas ton moi. Ton corps est en réalité infini et il est inséparable de l'univers. Ton esprit englobe tous les esprits et ne connaît pas de limites, ni temporelles ni spatiales. L'alchimie te révélera peu à peu ces vérités.

Quand Merlin énonça ces principes, l'ère des magiciens touchait à sa fin, et une nouvelle ère, gouvernée par la raison, commençait. La raison affirme l'impossibilité de l'alchimie et, tandis que les magiciens s'éloignaient dans le crépuscule de la légende, les humains commencèrent à accepter d'être réduits à des amalgames de chair et de sang confinés dans de petites cases spatio-temporelles.

Nous assimilons la matière solide dont nous sommes constitués à la réalité, parce que nous tenons pour évidente l'équation solide = réel. Les nuages, les arbres, les fleurs, les animaux et votre propre corps sont constitués des mêmes atomes d'hydrogène, d'azote, d'oxygène et de carbone mais ces atomes ne cessent de se déplacer et de changer — moins de un pour cent des atomes présents dans votre corps l'an dernier s'y trouve encore aujourd'hui. Même d'un point de vue matérialiste, cela n'a guère de sens de dire que l'on est constitué de matière solide alors que cette solidité est un univers vide parcouru de flux incessants. La quête de l'alchimie commence sous la surface des atomes et des molécules, au-delà des apparences précaires.

Dès son jeune âge, Arthur attendit impatiemment d'entreprendre sa première quête et il espérait que Merlin lui offrirait un cheval et une carte. Mais Merlin refusa : « Une carte des environs serait inutile, car ils ne cessent de se transformer. Autant essayer de dessiner la carte d'un torrent. »

Quand vous vous assimilerez au flux vital lui-même, votre quête de la perfection ignorera les limites. Vous abritez trois perfections, l'essence, l'être et l'amour. Celles-ci ne peuvent être bornées par le temps et l'espace. Les limites peuvent être dessinées sur des cartes, et l'aspect visible d'un être humain peut être projeté sur une planche reproduisant ses os, ses muscles, ses tissus et ses cellules. La cartographie du cerveau révèle un réseau d'échanges incessants entre dix milliards de neurones. Pourtant, dans ces deux cas, la carte ne coïncide pas avec le territoire. L'essence, l'être et l'amour qui constituent un être humain ont une vie propre et sont issus de la même conscience invisible avec laquelle ils finissent, le jour venu, par fusionner à nouveau.

— Quand je te regarde je vois un nuage d'énergies, dit Merlin à Arthur. Et tu peux me voir de cette façon aussi, mais même ces énergies ne sont pas encore le véritable toi. Elles sont seulement plus essentielles, quoique moins immédiatement perceptibles.

— Quelles sortes d'énergies? demanda l'enfant.

— Appelons-les lumière et ombre. Elles jouent autour de ta silhouette pendant que tu penses et que tu sens. La lumière varie selon que tu es joyeux ou triste, inspiré ou fatigué, excité ou ennuyé. Quelques mortels traversent ce monde comme de brillantes lumières, d'autres comme des ombres obscures mais, quelle que soit la vivacité de la lumière, elle n'est pas aussi réelle que le pur silence qui est en toi.

— Pourquoi ne me vois-je pas de la même manière que toi? demanda Arthur.

— Parce que ces énergies masquent l'être humain. Certaines sont denses, d'autres légères, et il n'y a pas deux êtres qui soient bâtis de la même façon. De toute manière, vous ressemblez tous à des nuages qui marchent. Jusqu'à ce que vous ayez ôté les enveloppes entourant votre âme, vous ne comprendrez jamais la nature claire et intemporelle de votre essence.

Vivre avec la leçon

Selon les textes alchimiques, les quatre éléments — la terre, l'air, l'eau et le feu — se combinent mystérieusement pour créer ce produit final magique, la vie. Il est incontestable que vous êtes fait de terre, d'air et d'eau provenant d'une forme antérieure, comme la nourriture que vous absorbez. Le feu qui donne vie à ces matériaux inertes ne peut toutefois être distillé, parce que ce n'est pas un feu visible ou même une chaleur organique. Il est le feu pur et simple de la transformation. Par conséquent, vous êtes la transformation, le transformeur et le transformé. Vous êtes votre propre alchimiste, transformant constamment des molécules inertes en incarnation vivante de vous-même. C'est l'acte le plus créatif et le plus magique que vous pourrez jamais accomplir.

Les merveilles de cette alchimie sont inépuisables. À n'importe quel moment vous pouvez lire un livre, digérer un plat, produire des protéines et des enzymes, stocker de l'information dans votre mémoire, croître, respirer, sentir ce qui vous entoure, cicatriser une blessure, remplacer des cellules mortes, vous défendre contre des virus; un nombre infini d'activités cohabitent en vous. La plupart de ces transformations passent inaperçues. L'alchimiste est invisible, il (elle) travaille en coulisse, et peu d'entre nous se proposent de découvrir qui il (elle) est. Il ne réside pas dans le temps ou l'espace mais dans l'intemporel, en deçà de la mémoire.

Concentrez-vous quelques instants et imaginez que votre vie défile sous vos yeux comme une bobine de film et vous remontez de plus en plus loin dans le passé. Laissez le film se dérouler jusqu'à ce que vous repériez une scène familière, comme le jour où vous avez obtenu votre travail actuel. Imprégnez-vous-en et continuez à remonter le temps, disons jusqu'au lycée. Continuez votre itinéraire jusqu'au collège et à la maternelle. Efforcez-vous de vous remémorer aussi clairement que possible les moments où vous étiez un enfant de plus en plus petit et, enfin, un nourrisson. Les images qui viennent ne sont pas très nettes? Peu importe, si vous avez une intuition de ce que vous pouviez ressentir à ces âges, c'est bien suffisant.

Remontez ensuite jusqu'au jour de votre naissance — exercice de pure imagination — puis revoyez le fœtus que vous étiez et, avant cela, la petite grappe ronde de cellules transparentes. Regardez-la rapetisser jusqu'à ce qu'il ne reste plus que deux cellules puis une seule. Enfin sautez le pas et imaginez-vous avant cet instant, sans la moindre cellule à laquelle rattacher vos pensées.

En franchissant ce seuil, vous noterez que votre identité ne se dissout pas. Même sans image et sans corps, vous restez ce que vous êtes vraiment, une conscience douée de regard demeurant identique à elle-même, quels que soient les changements de décor de votre vie. C'est votre identité-conscience, un alchimiste vivant et sage, détaché, indifférent au changement perpétuel.

Essayez maintenant d'imaginer la disparition de cette conscience. En d'autres termes, imaginez une époque antérieure à votre existence. C'est impossible parce que l'alchimiste n'est pas limité au domaine temporel, où tous les événements ont un commencement et une fin. Vous pouvez aussi vous projeter dans le futur et essayer de vous imaginer mort, même votre corps a disparu. C'est tout aussi impossible. Quand vous atteignez la « fin » de la mémoire, des sentiments, des émotions, de l'imagination et des idées, ce qui subsiste de vous est vous-même à l'état pur, une force vitale s'écoulant indéfiniment à travers le mirage de la création. Ce flux engendre des transformations constantes, l'alchimie de l'existence régnant sur le monde et par-delà tous les mondes.

Leçon 12

*La sagesse est vivante et par conséquent
toujours imprévisible.*

L'ordre est le revers du chaos.

Le chaos est le revers de l'ordre.

*L'incertitude que vous sentez en vous
est le prélude à la sagesse.*

*L'insécurité accompagnera toujours
le chercheur. Il trébuche souvent,
mais ne tombe jamais.*

*L'ordre humain est constitué de règles. L'ordre
du magicien ignore les règles — il est fluide
comme la vie.*

Merlin était souvent captivé par de petites
scènes de la nature dont il tirait des leçons. Un
jour qu'Arthur et lui marchaient dans la forêt,
ils entendirent un geai les invectiver du haut
d'un pin voisin.

— Arrête-toi! Regarde... dit Merlin calmement.

Le geai était nerveux, impatient. Après avoir
jasé contre les intrus, il s'envola vers une autre
branche pour mieux les apercevoir. Quelques

instants plus tard, mécontent, il gagna une troisième branche. Ensuite, semblant avoir oublié leur présence, il se dirigea en sautillant vers une pomme de pin qui l'intriguait. En l'espace de quelques secondes, il s'ébroua dans une petite mare, chassa un roitelet gris et se mit à picorer un morceau d'écorce pourrie.

— Que penses-tu de cette attitude en tant que mode de vie ? demanda Merlin.

— Pas grand-chose, répondit Arthur, il agit comme un ludion sans cervelle qui ne sait pas ce qu'il fera l'instant suivant.

— C'est ce qu'on voit quand une créature vit en se confiant uniquement à Dieu, déclara Merlin. Elle passe sa vie à suivre ses impulsions successives, sans penser au futur et, somme toute, elle ne se débrouille pas si mal, n'est-ce pas ?

Comprendre la leçon

L'ordre tout comme le chaos appartiennent à l'essence de la vie. Le cycle de la vie voit des configurations émerger du chaos et retourner plus tard s'y dissoudre. Le corps humain est totalement chaotique dans certaines de ses fonctions — des atomes d'oxygène tourbillonnants pénètrent dans votre sang chaque fois que vous respirez, des flots d'enzymes et des protéines se déversent dans chaque cellule, même l'activité des neurones de votre cerveau ressemble à un orage électrique permanent. Pourtant, ce chaos n'est qu'un aspect de l'ordre, car nos cellules sont sans aucun doute les éléments essentiels des fonctions organiques et l'activité de notre cerveau produit des pensées cohérentes. Le chaos et l'ordre sont si solidaires l'un de l'autre qu'on ne peut jamais vraiment les séparer.

« Avant d'être une étoile dansante tu dois d'abord être chaotique », affirmait Merlin. Et cela est littéralement vrai, car les tourbillons de gaz primitifs dont se composait l'univers à son début ont nécessairement précédé la naissance des galaxies. Au début, ces gaz n'obéissaient à aucune loi, hormis une légère tendance à s'attirer les uns les autres. Pourtant cette infime tendance à la gravitation déclencha une chaîne d'événements, qui conduisit finalement à la formation de l'ADN humain, une molécule si complexe que la perturbation de n'importe lequel de ses trois milliards d'éléments aurait pu stopper le processus de l'évolution.

Au plan individuel, chacun lutte avec l'ordre et le désordre. Les choses tendent à se dégrader, les fruits frais et mûrs finissent par pourrir, ce qui est jeune vieillit et meurt. « La mort est une illusion, disait Merlin, mais la lutte que les mortels mènent contre elle est très réelle. Aucun homme ne sait ce qu'est en réalité la mort, pourtant son imminence est si redoutable que chacun d'entre eux lutte contre elle de toutes ses forces sans comprendre l'incroyable désordre et le chaos qu'ils provoquent ainsi. »

Le magicien sait que la vie s'est toujours organisée de l'intérieur. Ces mêmes imperceptibles tendances à la gravité qui ont fait surgir des étoiles dansantes du chaos existent à tous les niveaux de la nature. Une rose peut être totalement certaine qu'elle deviendra une rose, même si sa première pousse ne diffère guère de celle d'un haricot ou d'une violette et, sous forme de graine, ses seules prétentions à la singularité résident peut-être dans d'infimes spirales de ses filaments d'ADN. Nous autres humains, en revanche, sommes très préoccupés de réussir notre vie et nous passons un temps infini à nous démener et à nous battre pour essayer d'affirmer notre singularité.

— Et alors? dit Arthur, qu'importe si les oiseaux vivent sans penser ou si une rose est toujours une rose. Ils sont dépourvus de pensée et n'ont donc d'autre choix que d'être ce qu'ils sont.

— C'est vrai. Vous autres mortels êtes doués de libre arbitre, mais vous avez une bien trop haute opinion de lui. Je vis sans faire de choix, et cette vie est beaucoup plus heureuse, répondit Merlin.

— Sans faire de choix? Mais tu prends autant de décisions que moi, objecta Arthur.

Merlin haussa les épaules.

— Tu es dupe des apparences. Regarde ta main. Il est incontestable qu'elle t'appartient, pourtant tu n'interviens pas dans la croissance de ses cellules; tu ignores comment ses nerfs et ses muscles bougent, tu n'agis pas consciemment pour que tes ongles poussent ou qu'une écorchure cicatrise quand tu t'es blessé, n'est-ce pas?

— C'est vrai, je ne fais rien de tout ça.

— En d'autres termes, poursuivit Merlin,

elles ne se présentent pas comme des choix pour toi. Ces fonctions ont été attribuées à une partie de ton cerveau qui fonctionne automatiquement et échappe donc à ta volonté. De même, toutes les activités auxquelles tu consacres tant de temps — penser, décider, sentir, choisir, juger —, je les ai confiées à la partie automatique de mon cerveau. Ce qui est une autre manière de dire que je les ai remises entre les mains de Dieu.

— Alors à quoi te sert la partie consciente de ton esprit ? demanda Arthur.

— À profiter du monde et du miracle de la vie. Je suis le témoin de tout ce qui est et je t'assure qu'il n'existe pas de spectacle plus surprenant, plus beau ni plus satisfaisant.

Vivre avec la leçon

Les hommes sont tellement harcelés par les aléas de la vie moderne que la plupart d'entre nous réagissent en essayant de l'ordonner. Notre société chaotique est aussi une société qui légifère et réglemente sans cesse. Ce n'est pas surprenant, les humains prospèrent dans l'ordre et redoutent le désordre. Le désordre est imprévisible, il échappe à notre contrôle, c'est pourquoi il nous affole. Pensez aux moments où le désordre et l'imprévisibilité ont soudain surgi dans votre vie — rater un avion, vous trouver en panne de voiture sur le bas-côté de la route, apprendre que quelqu'un que vous aimez a perdu son travail...

La plupart du temps, ces problèmes se

résolvent d'eux-mêmes. La perturbation de votre vie reste limitée, anecdotique. Et cependant, quand vos projets ont mal tourné, votre système nerveux a réagi très violemment, vous avez ressenti de la peur et un profond malaise. L'ego répond au chaos en luttant contre lui et en s'efforçant de le maîtriser encore mieux. Quand vous avez repris l'avion après cette mésaventure, vous avez probablement vérifié deux fois l'heure de votre départ et vous êtes parti plus tôt pour l'aéroport. Quand vous avez repris votre voiture après la panne, vous avez veillé à ce que le même incident ne se reproduise pas.

Mais toute cette lutte, ces soucis, cette organisation et cette volonté de contrôle vont à l'encontre de la nature de la vie. La vie est faite de chaos et d'ordre entremêlés. L'un et l'autre sont inséparables. Si vous voulez vous fondre dans le flux de la vie, vous ne pouvez simultanément lui résister. Le chercheur de perfection accepte une part d'incertitude permanente, il (ou elle) se sait voué(e) à un équilibre précaire. « Le bon disciple, disait Merlin, trébuche toujours mais ne tombe jamais. »

Bien que votre ego déteste les aléas de la vie, vous en avez souvent profité. Repensez une seconde aux occasions inattendues qui se sont présentées, aux propositions d'aide que vous n'aviez pas prévues, aux inspirations subites, aux décisions soudaines de partir ou d'aborder un étranger, qui vous ont ouvert de nouveaux horizons. C'est le cours naturel de la vie. « Votre vie est déjà organisée en elle-même, disait Merlin. La vie découle de la vie, le bouton se change en fleur, l'enfant grandit et devient adulte. Ayez confiance en chaque étape, honorez-la et laissez venir la suivante sans effort. »

Un exercice simple vous montrera à quel point il est vraiment merveilleux d'accepter une vie imprévisible. Asseyez-vous quelques instants et imaginez que votre vie est un film que vous projetez. Commencez le film par les événements d'aujourd'hui et suivez leur évolution dans le futur en leur donnant la tournure que vous espérez demain, après-demain et ainsi de suite... Imaginez-vous vieillissant, représentez-vous le futur que vous voudriez si vos souhaits pouvaient être exaucés. Laissez votre fantaisie vagabonder à son gré et allez jusqu'au bout. Imaginez la mort indolore et paisible que vous vous souhaitez.

Puis revenez en arrière et projetez un *film entièrement différent.* Commencez par les événements d'aujourd'hui mais faites-les évoluer autrement. Comme tout cela n'est qu'un travail d'imagination, pourquoi ne pas vous inventer une vie chaotique et catastrophique, une vie dramatique ou encore une vie de saint ? Avancez jusqu'à la scène de votre mort. Puis revenez en arrière et recommencez à nouveau. L'enjeu de l'exercice est que vous compreniez que tout ce que vous avez vu est vrai — votre futur englobe toute une série de scénarios possibles. Ils jaillissent du moment présent et s'éloignent en filigrane comme d'invisibles possibilités. La vie de chacun est ainsi faite, seul notre sens erroné du contrôle nous fait croire que nous pouvons imposer un ordre à ce qui est en fait totalement imprévisible.

L'ego doit sonder ses peurs et cesser d'essayer de tout contrôler. C'est un aspect très important de votre quête. Si vous pouvez accepter la force débordante de la vie et si vous la laissez vous emporter, vous accepterez la réalité. L'acceptation du réel est le préalable à une vie paisible et heureuse. L'alternative se réduit à une bagarre interminable, parce qu'elle est une lutte avec l'irréel, avec un mirage de la vie et non la vie elle-même.

*La réalité que vous percevez est le reflet
de vos attentes.*

*Si vous projetez les mêmes images tous
les jours, votre réalité sera la même tous les
jours.*

*Quand l'attention est impeccable,
elle fait surgir l'ordre et la clarté du chaos et de
la confusion.*

Après son accession au trône, Arthur parta-
gea son expérience acquise dans la grotte de
cristal avec une seule personne, son épouse
Guenièvre. Cela se passait des années avant le
retour de Merlin, que Guenièvre imaginait à
peu près semblable à une licorne ou à quelque
autre animal de légende.

— S'il est aussi sauvage que les noires montagnes galloises où l'on raconte qu'il est né, je
redoute de le rencontrer, dit-elle un jour à
Arthur.

— Il n'est pas comme cela, répondit Arthur.
Il ne ressemble à rien de ce que tu pourrais
imaginer ou prévoir.

— Messire, j'ai rencontré des magiciens ou
prétendus tels à la cour de France, dit Guenièvre. Ne sont-ce pas simplement des vieil-

lards à longue barbe blanche qui agissent très sagement, secouent la tête comme s'ils voyaient des choses que nous ne pouvons voir et prétendent posséder des pouvoirs que personne n'a jamais vraiment vérifiés ?

Arthur sourit.

— J'ai aussi rencontré de tels magiciens, mais Merlin était différent. Je lui ai demandé un jour : « En quoi sommes-nous différents, toi et moi ? Pour moi, nous sommes seulement deux personnes allongées au bord d'une rivière sous un arbre attendant d'attraper un poisson pour le dîner. » Il me regarda et secoua la tête. « Il est vrai que nous ne sommes que deux personnes allongées ici, comme tu dis, mais alors que ce décor constitue ta réalité tout entière, pour moi la rivière, l'arbre et tout ce qui nous entoure ne sont qu'un point infime perdu sur l'immense écran de ma conscience. »

Guenièvre demanda :

— S'il vivait vraiment dans un monde aussi différent du nôtre, Merlin expliquait-il comment on atteint ce monde ?

— Oui, dit Arthur. Il soulignait le fait que ma version de la réalité — l'arbre, la rivière, la forêt — n'était qu'une totale illusion, une incommunicable hallucination de mon esprit, alors que son monde était ouvert à tous en tant que monde de pure lumière.

Guenièvre était abasourdie.

— Mais toi et moi voyons tous deux cette pièce de la même façon, comme tous ceux que nous connaissons. Je ne crois pas que ce soit une illusion.

— Alors laisse-moi te montrer quelque chose, répondit Arthur.

Il demanda à la reine de quitter la salle et lui fit promettre de ne pas y revenir avant minuit sonné. Guenièvre obtempéra et, à son retour, elle trouva la salle plongée dans l'obscurité, toutes les bougies éteintes et les rideaux de velours tirés.

— Ne crains rien, fit une voix. Je suis là.

— Que veux-tu que je fasse, Arthur ? demanda Guenièvre.

Arthur répondit :

— Je voudrais savoir jusqu'à quel point tu connais cette pièce. Marche vers moi et décris les objets qui t'entourent mais sans en toucher aucun.

Elle trouva cette épreuve fort étrange, mais s'exécuta.

— Voici notre lit et là se trouve la commode de chêne que j'ai apportée de France. Un haut candélabre de fer forgé espagnol se dresse dans ce coin et deux tapisseries sont accrochées de chaque côté de la pièce.

Tout en marchant prudemment pour ne pas heurter les meubles, Guenièvre parvint à décrire chaque détail de la pièce, qu'elle avait en fait décorée et meublée elle-même jusqu'au moindre oreiller.

— Maintenant regarde, dit Arthur.

Il alluma une bougie, puis une deuxième et une troisième. En regardant autour d'elle, Guenièvre découvrit à sa grande stupeur que la pièce était complètement vide.

— Je ne comprends pas, murmura-t-elle.

— Tu as décrit tout ce que tu t'attendais à trouver dans la pièce et non ce que la pièce contient vraiment. Mais l'anticipation est suggestive. Même sans lumière tu as vu ce que tu anticipais et tu as réagi en conséquence. La pièce ne te paraissait-elle pas la même que d'habitude? N'as-tu pas ralenti aux endroits où tu craignais de heurter les meubles? (Guenièvre acquiesça.) Même à la lumière du jour, dit Arthur, nous avançons dans le monde en tenant compte de ce que nous nous attendons à voir, entendre et toucher. Chaque expérience est fondée sur la continuité que nous fabriquons en nous rappelant chaque chose telle qu'elle était la veille, l'heure précédente ou la seconde précédente. Merlin me disait que si je parvenais à tout voir sans rien prévoir, tout ce que je tenais pour évident sombrerait dans l'irréel. Le magicien perçoit un monde réel, illuminé. Le nôtre est un monde fantôme que nous traversons en tâtonnant dans l'obscurité.

Comprendre la leçon

Le magicien s'est complètement libéré du connu. Pour lui, l'unique liberté réside dans l'inconnu, parce que tout ce qui est connu est passé et mort. « Sais-tu pourquoi je continue à dire que ton monde est une prison? demanda Merlin. Parce que tout ce que l'esprit conçoit est limité. Dès que tu mets des mots sur une expérience ou l'enfermes dans une pensée, ou dis : "Je sais", quelque chose de merveilleux et d'invisible s'enfuit. Les limites sont des cages;

la réalité est un oiseau fragile qui tremble dans ta main. Serre-le trop longtemps et il meurt. »

S'il est vrai que l'inconnu est votre laissez-passer pour la liberté, il est aussi vrai que les limites procurent à l'ego un appréciable confort. Jour après jour, notre esprit engendre les mêmes images. Ces images sont le miroir de ce que vous êtes, bien que l'ego les prenne pour la réalité. « N'est-il pas évident qu'un arbre est un arbre, un mur un mur, une montagne une montagne ? » demande l'ego. Mais ces choses ne sont réelles que dans un certain état de conscience, l'éveil. Dans un rêve, vous pouvez être assis dans un champ et regarder passer les nuages au-dessus d'une montagne. Au réveil, vous vous apercevez que la montagne, les nuages et le champ n'étaient que l'effet aléatoire de l'effervescence de vos cellules cérébrales qui ont produit ces images fugaces. Rien ne prouve que la conscience vigile fonctionne différemment. Des montagnes, des champs, des nuages « réels » n'ont aucune réalité vérifiable en dehors des images qui surgissent dans votre cerveau.

Arthur était choqué que Merlin rejette le monde visible en le taxant d'illusion.

— Mais les choses qui m'entourent sont tangibles, et même dures ! Si je me cogne la tête contre un rocher, j'aurai un bleu, objecta-t-il.

— Les images ne sont pas seulement visibles, lui rappela Merlin. Tu peux aussi toucher les choses en rêve et ressentir les mêmes sensations.

— Alors, comment distinguer le rêve de

l'éveil? Pourquoi baptise-t-on l'un réalité et l'autre illusion?

— Par habitude. Si les mortels suivaient l'enseignement des magiciens, ils apprendraient comment reproduire éveillés ce qu'ils font en rêve. Les limites commenceraient alors à se dissoudre et la réalité t'inciterait à sortir du carcan de la pseudo-réalité dont tu es prisonnier.

Nous faisons tous l'expérience du nouveau et de l'inconnu, mais peu d'entre nous reconnaissent l'inconnu comme une force qui nous appelle. L'inconnu renferme des indices de l'autre réalité. En quoi consistent ces indices? Ils ne cessent de changer mais, si vous regardez de plus près toutes les images que le monde vous présente, vous développerez une intuition nouvelle des événements. Leur arbitraire apparent commencera à prendre forme et sens, comme si une part de vous-même disait : « Je suis là. Peux-tu me découvrir? » Les rencontres heureuses, les coïncidences inattendues, les prémonitions qui se vérifient, les vœux soudain exaucés, les bouffées de joie inexplicables, un sentiment de compréhension profonde, de confiance naissante, tous ces instants sont les visages que prend la réalité pour nous attirer hors des cages que nous nous sommes forgées. Rien ne nous force à répondre à cet appel presque inaudible. C'est à chacun d'en décider pour soi-même. Il s'agit de choisir en notre âme et conscience entre le connu rassis mais familier et l'inconnu qui est neuf et offre une palette de possibilités infinies.

Vivre avec la leçon

Vivre avec cette leçon implique de franchir les limites du connu. Si vous pouviez tout oublier et ne rien anticiper, vous franchiriez automatiquement les limites qui vous protègent contre la perception d'une réalité plus haute. Cette réalité plus haute est imbriquée dans la réalité visible dans laquelle vous vous mouvez chaque jour. Il n'y a aucune distance entre les deux. En un sens, pourtant, elles sont à des années-lumière l'une de l'autre.

Tout comme l'habitude et l'inertie, la peur joue un grand rôle dans la sclérose de la réalité. Voici une variante de l'exercice de Guenièvre : tenez-vous au milieu d'une chambre plongée dans l'obscurité, le soir. Puis traversez-la en vous rapprochant autant que possible des objets qui s'y trouvent sans les heurter. Vous remarquerez qu'il est très difficile de traverser l'endroit le plus familier sans éprouver une certaine appréhension. La plupart d'entre nous redoutent beaucoup la cécité à cause de l'incertitude qu'elle entraîne, la possibilité de tomber ou de renverser des meubles nous paralyse.

Mais qu'est-ce que cela prouve hormis le fait que le connu ne peut nous protéger de la peur ? De même que vous connaissez votre pièce, l'appréhension est toujours là, la même qu'en plein jour, mais un peu plus profondément enfouie. L'obscurité ne suffit pas à réveiller notre peur, nous avons besoin de plus — un accident, un événement soudain qui brise notre routine, qui nous ôte notre sentiment de sécurité. Peu importe à quel point vous vous croyez confortablement installé dans le monde des choses connues, votre subconscient n'en reste pas moins hanté par la possibilité d'une catastrophe.

Une autre expérience simple peut vous donner un avant-goût de l'inconnu. Asseyez-vous dans votre cuisine et bandez-vous les yeux. Puis demandez à un ami de poser trois aliments en face de vous sans vous dire lesquels. Goûtez-les en demandant à cet ami de vous en donner une cuillerée ou un morceau. Vous reconnaîtrez vite chaque aliment, mais remarquerez aussi que, dans la fraction de seconde d'incertitude précédant la reconnaissance, vous découvrirez une saveur nouvelle — une texture inattendue, une nuance de goût, un arôme imprévu que vous aviez oublié.

Tel est le pouvoir de l'incertitude. Aussi longtemps que vous demeurez certain des choses, vous vivez à l'intérieur de limites. Mais les choses dont vous vous croyez si sûr n'ont pas de nouvelles qualités à révéler.

« Dieu a fait ce monde, disait Merlin. Il doit donc être assez intéressant pour retenir Son attention. Si tu trouves que les choses s'affadissent, si elles te semblent usées et prévisibles, peut-être est-ce toi qui as perdu ta capacité de t'intéresser à elles. » Ouvrir la voie à l'incertitude est une démarche que l'ego n'accepte pas aisément, mais c'est la seule qui mène au monde du magicien.

Leçon 14

Les magiciens ne s'affligent pas des pertes,
parce qu'on ne peut perdre que l'irréel.

Perdez tout, le réel n'en subsiste pas moins.

Dans les décombres de la dévastation
et du désastre sont enterrés des trésors cachés.

Quand tu regardes les cendres, regarde bien.

Comme tous les enfants, Arthur fut un jour confronté à la mort. Il avait quatre ou cinq ans quand Merlin le trouva accroupi dans la forêt contemplant un petit tas de plumes grises, les vestiges d'un moineau.

— Que lui est-il arrivé? demanda l'enfant.

— Cela dépend, répondit Merlin.

— De quoi?

— De la manière dont tu le regardes. La plupart des mortels l'appellent un oiseau mort. Par « mort » ils veulent dire que sa vie a été anéantie. Les mortels plus sages, cependant, portent un regard plus profond sur ce phénomène. Ils savent que la mort n'est qu'une recomposition. La matière dont était fait l'oiseau retourne à la terre se mêler aux éléments dont son corps était constitué.

L'enfant resta quelques instants songeur.

— Pourquoi ce spectacle m'angoisse-t-il ?

— À cause de tes souvenirs. Que tu en sois conscient ou non, tu t'es forgé des idées sur la mort depuis ton enfance et quand elles se réveillent tu revis la peur et la douleur qui y sont associées.

L'enfant était trop jeune pour comprendre tout ce que disait Merlin et, comme la plupart des enfants, ses questions ne faisaient qu'effleurer le sujet. Il se contenta des explications de Merlin pendant des années jusqu'au jour où il découvrit que la mort — nullement réservée aux animaux — le concernait aussi.

— Je crois que je vais avoir de plus en plus peur de la mort, déclara-t-il.

Il était alors âgé de douze ans.

Merlin acquiesça.

— Plus grande sera ton expérience de la vie, plus tes souvenirs reviendront avec une vivacité accrue. Mais ce n'est pas tout. Les mortels redoutent la mort car ils ont peur de perdre ce qu'ils possèdent. Si tu vois un animal mort, comment décider quelle partie de lui est morte ? Après son dernier souffle, le corps pèse le même poids, les cellules restent les mêmes. Il ne lui manque que la respiration et ce qu'elle exprime. Mais les mortels ont des maisons et des biens. Ils ont des familles et des attachements très forts. La perspective de perdre tout cela suscite en eux une peur terrible. Laisse-moi te confier un secret. Au moment de la mort, rien ne meurt. La mort est un commencement et non une fin. Leur peur de cet événement révèle seulement à quel point les mortels sont prisonniers de leurs souvenirs. Personne ne sait à quoi ressemble vraiment la mort. Adopte le point de vue du magicien et réjouis-toi de toutes les pertes, y compris de cette perte ultime.

— J'essaierai, répondit Arthur d'un ton dubitatif. Mais tu as raison, il y a toutes sortes de choses que je ne veux pas perdre.

— Eh bien, desserre juste un peu ton étreinte et souviens-toi : ce à quoi tu te cramponnes, quel qu'il soit, est déjà mort, parce qu'il est passé. Ne cesse pas de mourir et tu trouveras le chemin de l'immortalité.

Comprendre la leçon

Les constantes transformations du monde impliquent des pertes et des gains. Pour l'ego, les gains sont bons et les pertes mauvaises, mais la nature ne fait pas de telles distinctions. Tant qu'il y a création, il doit y avoir destruction.

« Vous autres mortels souhaiteriez abolir la mort, disait Merlin, sans penser au monde dans lequel s'accumuleraient les êtres humains, les animaux et les plantes. La forêt serait bientôt étouffée sous sa propre vitalité, les océans foisonneraient de créatures luttant pour leur espace vital et le fragile équilibre de la belle nature serait anéanti. »

Le cycle de la naissance et de la mort n'engendre peurs et conflits qu'en devenant personnel. Après une vie consacrée à lutter pour empêcher la perte, l'ego considère la mort comme son ultime défaite. Chez la plupart des êtres, la peur de la mort est trop écrasante pour qu'ils l'affrontent, c'est un problème qui est refoulé dans l'inconscient et nié dans la vie quotidienne. Ou bien la dénégation est intellectualisée, la mort devient un mystère métaphysique coupé de toute émotion.

Les magiciens affirment que la mort est inconnaissable pour une autre raison, parce que l'expérience normale et, avec elle, notre mode de connaissance habituel cessent au moment de la mort. L'expérience normale est orientée vers ce que nous pouvons voir, entendre, toucher, sentir et goûter. À cela viennent s'ajouter la pensée et l'émotion. Mourir signifie ne plus éprouver de sensations, laisser derrière soi le monde matériel et s'acheminer vers un nouveau genre de perceptions.

— Si seulement tu le savais... Je suis déjà mort, dit Merlin.

— Cela semble impossible, répliqua Arthur. Pour moi, être vivant signifie manger, boire, dormir et faire des expériences. N'est-ce pas ce que tu fais tout le temps, exactement comme moi?

Merlin secoua la tête.

— Pourquoi penses-tu que la vie et la mort sont incompatibles? Au moment où je fais tout ce dont tu parles, je suis également en état de connaissance, simplement conscient de moi-même, aussi étranger à la naissance qu'à la mort. La mort rend possible la révélation d'un tel état de conscience. Tant mieux pour toi si tu as la chance de faire cette découverte assez tôt, avant de te dépouiller de ton enveloppe mortelle.

— Tu as beaucoup de chance de ne plus avoir peur de la mort, remarqua Arthur.

— Certes, mais c'est au prix d'une décision que la plupart d'entre vous esquiveraient. J'ai décidé de poursuivre la mort et de l'embrasser comme un amant, alors que vous ne cessez de la fuir comme si c'était le diable. La mort est très sensible et, si vous la diabolisez, elle se détournera et gardera ses secrets. En vérité, tout ce que vous redoutez à propos de la mort est une projection de votre propre ignorance. Vous redoutez simplement ce que vous ignorez.

Vivre avec la leçon

La mort est l'événement ultime d'une vie emplie de pertes secondaires. Si vous y réfléchissez quelques instants, vous découvrirez sans peine le bilan des pertes et des gains auquel on pourrait ramener votre propre existence. Quand elles se produisent, les pertes semblent douloureuses et l'ego y réagit inévitablement en voulant retenir ce qui disparaît. Cependant, le passage de l'enfance à l'adolescence est d'un certain point de vue une perte et, du point de vue opposé, un gain. Se marier signifie renoncer à la solitude et gagner un partenaire. Gains et pertes sont les deux visages d'une même chose. Le seul élément de la vie qui constitue un profit absolu est le progrès de la conscience, qui est l'objet proprement dit de la quête.

« T'es-tu jamais rendu compte que tu ne peux perdre quoi que ce soit, simplement parce que tu ne le possédais pas ? demanda un jour Merlin. La seule chose dont tu aies jamais vraiment disposé, c'est toi-même. Ce toi peut passer du temps dans une maison ou au travail, il peut cohabiter avec certaines choses, être plus ou moins nanti matériellement mais, quand vient le moment, tout cela bascule. Tout ce qui te reste alors, c'est un souvenir, une image, un concept. Ils ne sont pas vraiment réels, ce sont des créations de l'esprit. Les pensées ressemblent à des invités qui vous rendent visite et prennent congé, mais vous êtes toujours là. Considérez les objets et les biens de la même façon. Ils vont et viennent. Ce qui demeure, c'est vous. »

La vie abonde en déboires, petits ou grands. L'ego assume la lourde mission de protéger votre vie. Il vous défend contre les pertes et les désastres, et refoule l'idée de la mort aussi longtemps que possible. Mais le magicien accueille favorablement tout revers, toute perte, pour la raison suivante, qui s'applique à votre propre vie : toute chose créée est composée d'énergie. Une fois créée, toute forme pourvue d'énergie doit perdurer pendant un certain temps. Après une période de stabilité, la force vitale veut engendrer de nouvelles formes. Et cela implique la disparition des vieilles formes de vie périmées.

Cette disparition s'effectue encore au nom de

la vie, car ce qui nous entoure n'est rien d'autre que la vie. L'ego est toutefois attaché à certaines formes d'énergie qu'il ne veut pas voir disparaître. Une somme d'argent, une maison, une relation, un gouvernement, chacun à leur manière sont des formes d'énergie que nous essayons d'abriter contre les assauts du temps. Les gens « luttent à mort », selon l'expression consacrée, ce qui signifie qu'ils défendront quelque chose jusqu'à leur propre disparition, si nécessaire.

De telles luttes ne sont pourtant pas nécessaires. On ne peut lutter pour faire fleurir une rose. Rien ne sert de lutter pour faire évoluer un embryon en bébé — cela se produit spontanément et suivant son rythme propre. Votre ego accepte ce fait sans difficulté à propos des roses et des bébés, mais pas à propos de l'argent, des maisons, des relations et des autres choses auxquelles il est attaché. Pour le magicien, les mêmes lois universelles gouvernent la vie entière. Après tout, l'ego n'a pas lutté pour vous mettre au monde.

La lutte de l'ego pour imposer une *vie artificielle* est une forme d'opposition à la vie. « La Nature retire les choses du monde pour de bonnes raisons au moment opportun, disait Merlin. Si vous voulez des fleurs hors saison, vous pouvez broder des fleurs qui dureront toujours, mais qui prétendrait qu'elles sont vraiment vivantes ? »

De même quand vous ressentez le besoin de contrôler et de lutter pour empêcher la perte des êtres, de l'argent ou de tout ce à quoi vous êtes attaché, vous vous opposez à la loi d'équilibre qui gouverne l'univers. « Tu devras avoir acquis de l'assurance avant de pouvoir renoncer à ton contrôle. Tu es conditionné pour la méfiance, à cause de la volonté acharnée des mortels de croire qu'ils sont hors d'atteinte des cycles naturels, affirmait Merlin sur un ton ironique. Alors même que vos corps naissent, vieillissent et meurent, vous vous mettez en tête de léguer à la postérité monuments et statues immortelles, réputations, et coffres remplis de richesses. À votre guise, mais si vous désirez esquiver la douleur et la mort, délivrez-vous d'abord de cette illusion que vous êtes au-dessus de la nature. »

Quand vous commencez à voir les semences des possibilités dans les cendres du désastre, alors la confiance recommence à grandir. Elle revient progressivement. Commencez tout d'abord par admettre que les jugements de l'ego sur la perte sont faux. (« La douleur n'est pas la vérité. Elle est ce que traversent les mortels pour découvrir la vérité », affirmait Merlin.) Puis recherchez l'autre visage du désastre ou de la perte, la semence infime du nouveau qui veut naître. « Quand tu regardes parmi les cendres, regarde bien », conseillait Merlin.) Enfin remplacez reproches et plaintes par la tranquille certitude que les projets de la nature vous protègent : quoi que vous ayez perdu, cette perte est provisoire et irréelle. Elle était programmée, non parce que la nature est cruelle et indifférente, mais parce que chaque progrès accompli en direction du réel est précieux. Dans cet éclairage, vous commencerez à comprendre que la perte et le gain ne sont que des masques. Derrière ces masques se cache la lumière inextinguible de l'éternel qui rayonne en toute chose et métamorphose le chaos en harmonie.

Leçon 15

Plus vous connaissez l'amour;
plus vous devenez l'amour.

L'amour est bien supérieur à l'émotion.
C'est une force de la nature; en tant que tel,
il renferme la vérité.

Quand vous prononcez le mot « amour »,
vous saisissez peut-être le sentiment,
mais l'essence de l'amour reste ineffable.

L'amour le plus pur réside là où on l'attend
le moins : dans le détachement.

Galaad, bien que bâtard comme le roi, fut le plus représentatif des chevaliers de la cour d'Arthur. Bien qu'être le fils naturel de Lancelot ne fît pas de lui un réprouvé, quand vint pour lui le moment de devenir le champion d'une dame de la cour, Arthur secoua la tête et fronça les sourcils.

— Je ne souhaite pas que tu sois le champion d'une noble dame, déclara Arthur.

Galaad, écarlate, bredouilla :

— Mais, sire, tout chevalier doit servir une dame et lui dédier son pur amour.

— Que sais-tu de l'amour ? demanda Arthur sur un ton si vif que Galaad rougit deux fois plus. Si tu es tellement impatient de devenir le champion d'une dame, tu auras le choix entre trois d'entre elles.

Le roi fit mander Marguerite, une vieille servante aux cheveux gris dont le nez était couvert de verrues.

— Lui dédierais-tu ton amour, preux chevalier ? demanda Arthur.

Galaad était stupéfait.

— Je ne comprends pas, messire, murmura-t-il.

Arthur lui lança un regard perçant et renvoya la vieille femme.

— Faites-en venir une autre, ordonna-t-il.

Cette fois on apporta un nouveau-né de sexe féminin.

— Si tu trouves Marguerite trop vieille et trop laide pour te mettre à son service, qu'en sera-t-il de celle-ci ? Elle est de noble extraction et tu dois reconnaître qu'elle est belle.

Ce bébé était beau, sans aucun doute, mais Galaad fut encore plus embarrassé. Il secoua la tête.

— L'amour dont tu parles est un maître exigeant, déclara Arthur.

Il envoya chercher la troisième dame et Arabelle, une ravissante fillette de douze ans, fit son apparition. Galaad s'efforça de réprimer sa colère en la voyant.

— Messire, ce n'est qu'une jeune fille, et ma demi-sœur, qui plus est, dit-il.

— Tu as demandé à servir une dame, et j'ai

été assez généreux pour t'en présenter trois. Maintenant tu dois faire ton choix, répondit Arthur.

Galaad eut l'air abasourdi.

— Pourquoi me tourner ainsi en dérision ? demanda-t-il.

Arthur leva la main, et les courtisans quittèrent la grande salle sur-le-champ, laissant les deux interlocuteurs en tête à tête.

— Je ne me moque pas de toi, dit-il. J'essaie de te montrer quelque chose que m'a enseigné mon maître Merlin.

Galaad releva la tête et découvrit que l'expression du roi s'était radoucie.

— Mes chevaliers mettent soi-disant leur amour au service des dames et, malgré leur vœu de chasteté, ils éprouvent bien souvent une passion amoureuse pour celles qu'ils servent, n'est-ce pas ?

Galaad acquiesça.

— Et plus ils sont passionnément attachés à leurs dames, plus ils les servent avec zèle... ajouta Arthur.

Le jeune chevalier acquiesça encore.

— Merlin m'a enseigné une autre manière d'aimer, déclara Arthur. Pense à la vieille femme, au nourrisson, à cette jeune fille, ta sœur. Toutes sont des incarnations de la féminité mais, pour peu que leur apparence change, ton amour s'altère aussi. Quand tu te prétends amoureux, tu trahis ton attachement à une image intérieure.

« L'attachement commence ainsi, par la soumission à une image. Tu peux prétendre aimer une femme, mais qu'elle te trahisse avec un autre homme et ton amour deviendra de la haine. Pourquoi? Parce que ton image intérieure aura été souillée et, comme tu étais amoureux de cette image, sa trahison te rend furieux.

— Que peut-on y changer? demanda Galaad.

— Dépasse tes émotions, par définition instables, et recherche ce qui se trouve au-delà de l'image. Les images sont des fantasmes, la fonction des fantasmes est de nous protéger de quelque chose que nous ne voulons pas affronter. Dans notre exemple, c'est le vide que nous ne voulons pas affronter. Par manque d'amour pour toi-même, tu crées une image pour masquer ce vide. C'est la raison pour laquelle tu souffres tellement quand tu es repoussé ou trahi, parce que la blessure béante de ton propre manque devient flagrante.

— L'amour est considéré comme un des plus beaux sentiments, un des plus exaltants, et tu le présentes comme quelque chose d'horrible, protesta Galaad.

Arthur sourit.

— Ce qui passe habituellement pour de l'amour peut avoir d'horribles conséquences, mais ce n'est pas la fin de l'histoire. Il y a un secret de l'amour. Merlin me l'a confié il y a longtemps, comme je te le transmets à présent : si tu peux aimer une vieille femme, un nourrisson et une fillette de la même manière, tu seras libre d'aimer au-delà des simples apparences. Alors l'essence de l'amour, qui est une force universelle, t'emplira. Tu seras libre d'attaches, telle est l'injonction silencieuse à laquelle doit obéir l'amour véritable.

Comprendre la leçon

Quand un magicien parle d'amour, ce à quoi il se réfère est presque le contraire de ce que nous entendons par amour. Celui-ci est pour nous un sentiment extrêmement personnel; pour un magicien, c'est une force universelle. L'état amoureux est un préalable à l'amour mais ce sentiment finit par décroître. Un magicien ne tombe pas amoureux, parce qu'il est porté par le mouvement de l'amour lui-même. Mais la différence majeure concerne l'attachement. L'attachement survient quand on dit : « Je t'aime parce que tu es mien(ne). » Cette forme d'amour n'est qu'une extension de l'ego qui pense toujours en termes de « je », « moi », « mien ».

— Vous autres, mortels, appelez amour un sentiment d'attachement total envers un autre être, dit Merlin. Votre fantasme réside dans la possession complète de l'autre ou dans le fait d'être complètement possédé par lui. Les magiciens, en revanche, appellent amour l'absence d'attachement, de possession.

— Mais cela, n'est-ce pas simplement de l'indifférence? demanda Arthur.

Merlin secoua la tête.

— L'indifférence est atone, sans vie. L'amour d'un magicien est incroyablement vivant, il exprime l'énergie universelle. Pour que cela se produise il faut ressembler à un récipient vide. Les mortels sont si emplis de leur ego qu'il ne laisse place à rien d'autre. Un magicien est complètement vide ; l'univers peut donc le remplir d'amour.

Merlin parlait doucement, presque tendrement.

— Tomber amoureux est une merveilleuse occasion pour toi, dit-il. Normalement, tu t'abrites derrière les murs de ton propre ego. Tu aimes t'y sentir en sûreté, invulnérable. Quand on tombe amoureux, ces murs s'effondrent, au moins provisoirement. Tu es exposé et vulnérable, exactement comme tu le redoutais, mais l'émotion de l'amour qui te submerge entraîne un état d'extase, et non la souffrance que tu redoutais. Dans le meilleur des cas, tomber amoureux signifie partager l'inconnu avec une autre âme, vouloir avancer ensemble dans la sagesse de l'incertitude.

Les magiciens ne considèrent pas les différentes manières d'aimer comme plus ou moins sublimes — c'est le langage du jugement et les magiciens ne jugent pas.

— Si ton ennemi te croise et t'insulte, c'est un acte d'amour, disait Merlin. L'impulsion aimante venue du cœur de ton ennemi s'est transformée en haine en traversant le filtre de la mémoire. Des expériences passées peuvent dénaturer plus ou moins la manifestation de cet élan mais, ne t'y trompe pas, quelle que soit son expression, sa source demeure toujours l'amour.

— Est-il possible de construire une passerelle entre le genre d'amour qu'éprouvent les mortels et celui que tu ressens ? demanda Arthur.

— Tu n'as pas besoin de construire une passerelle, car il n'existe qu'une sorte d'amour, répondit Merlin. L'amour personnel que tu éprouves pour un autre est une forme concentrée de l'amour universel ; l'amour universel est une forme dilatée de l'amour personnel. Tu ne peux éprouver pleinement les deux que si tu t'ouvres.

Vivre avec la leçon

Nous tombons tous, jusqu'à un certain point, amoureux d'images. Nous créons des images intérieures, en attendant de trouver leur réplique dans le monde extérieur, et cherchons généralement quelqu'un qui soit le reflet de ces images intérieures ou qui les répare — tantôt l'amour cherche un miroir, tantôt il veut dénicher la pièce manquante. Ces deux cas dénotent un besoin sous-jacent. Vous sentant incomplet, vous essayez de combler ce manque par personne interposée.

« Si tu veux ressentir l'amour comme Dieu, tu dois combler tous tes manques, car l'amour divin présuppose la plénitude », conseillait Merlin. Aimer à la perfection signifie être exempt de faiblesses ou de blessures que l'être aimé doive réparer. La première étape consiste à rechercher ses propres vides, la seconde à les combler par un surcroît d'être. On appelle en général ce processus apprendre à s'aimer soi-même, mais il faut se méfier de cette expression. Elle se ramène trop souvent à l'idée d'apprendre à aimer sa propre image. Aux yeux du magicien, l'image de soi n'est qu'une forme de bavardage et de dénégation de l'ego destinée à masquer un vide intérieur.

Il vaudrait mieux baptiser la véritable méthode d'apprentissage de l'amour de soi apprendre à aimer le Soi, c'est-à-dire son esprit. Si vous considérez honnêtement votre passé, désormais stocké en vous sous forme de milliers de souvenirs, vous en distinguerez toujours deux sortes : les expériences qui ont suscité l'amour de soi ou des autres, et celles qui ne l'ont pas provoqué. Certains souvenirs de honte, de culpabilité, de rejet, de haine, de rancune et d'autres sentiments hostiles ne peuvent être convertis en amour. Ces images sont ce qu'elles sont. Acceptez-les tout en affinant votre moi, en le détachant de la mémoire.

Vos souvenirs ne peuvent que vous enfermer dans un rapport étouffant à votre passé. Par-delà la mémoire se trouve l'expérience de l'être, de la simple conscience sans contenu. C'est la région de l'amour, la région de vous-même dans laquelle vous pénétrez à travers la méditation. Il existe de nombreuses sortes de méditations. Les traditions orientales et occidentales reposent sur le principe que chacun est dépositaire d'une parcelle de l'être auquel il peut accéder. On n'y accède pas par la pensée ou l'émotion. La méditation pénètre directement dans cette silencieuse région interne.

Vous pouvez percevoir ce que signifie franchir l'écran des images grâce à l'exercice suivant : laissez votre œil spirituel imaginer une belle femme ou un homme élégant, votre objet d'amour idéal. Représentez-vous cette personne de manière aussi vivante que possible, puis transformez son visage, vieillissez-le de plus en plus, jusqu'à ce que sa beauté laisse place à une figure ridée et ratatinée. Votre amour est-il aussi grand qu'au départ? La plupart d'entre nous trouvent extrêmement difficile d'éprouver les mêmes sentiments pour une vieille figure ridée que pour un jeune et beau visage. Peut-on appeler amour ce qu'une simple modification extérieure altère à ce point?

— Pourquoi l'amour change-t-il? demanda Arthur.

— Parce que l'émotion de l'amour renferme toujours son opposé. L'amour le plus fort recouvre une haine tout aussi forte, répondit Merlin. La seule différence est que l'amour est déjà en fleur alors que la haine est encore en germe.

Voici un autre exercice très instructif : reportez-vous à une époque où un être que vous avez profondément aimé vous a blessé. Ce peut être un moment d'indifférence, une trahison, ou un acte par lequel l'objet de votre amour a montré qu'il n'était pas parfait mais seulement humain. Si vous êtes honnête avec vous-même, vous vous souviendrez avec quelle violence et quelle soudaineté l'amour peut se transformer en son contraire. La haine, la jalousie, la souffrance ou l'indifférence que vous avez éprouvées ont toujours été présentes sous forme embryonnaire, masquées par l'amour dont vous préfériez la sensation. Pourquoi préfériez-vous l'amour ? Il y a une raison plus forte que le simple plaisir : l'ego. Dans l'attachement pour une autre personne, c'est en fait à vous-même que vous êtes attaché, car le moteur de cet amour qui ne se trouve qu'en apparence chez l'autre est votre propre besoin de possession, bien plus puissant que votre amour d'autrui.

Quand vous pensez posséder quelqu'un, vous cherchez seulement un moyen d'échapper à vous-même, d'esquiver les peurs et les failles que vous niez. Au lieu de vous confronter à vous-même, vous éprouvez, dans le miroir de l'amour, un complet épanouissement amoureux. Cela n'est pas une critique. Aux yeux d'un magicien, l'amour est un véritable moyen de parvenir à un complet épanouissement, mais on ne l'atteint pas moyennant un fantasme. Le miroir de l'amour est une manière divine de franchir la barrière de l'ego, mais seulement après avoir atteint la communion avec le pur flux de l'être, trésor secret de tout amour.

« Souviens-toi, disait Merlin, l'amour n'est pas seulement un sentiment, c'est une force universelle et, en tant que tel, il doit renfermer la vérité. » Si vous êtes capable d'une telle profondeur, vous découvrirez que toute émotion dissimule et renferme de l'amour. La jalousie et la haine semblent les contraires de l'amour, mais on peut aussi les comprendre comme des élans d'amour dévoyés. Le jaloux recherche l'amour mais s'y prend d'une manière aberrante. Le haineux veut peut-être désespérément l'amour, mais son désespoir de jamais le trouver le conduit à haïr. Quand on cesse de considérer l'amour comme une simple émotion, il devient évident qu'une force d'attraction universelle entraîne tous les êtres vers lui — tel est l'amour du magicien. Nous devrions donc honorer toute expression, pure ou dénaturée, de celui-ci. Peu d'êtres sont capables d'éprouver l'amour universel dans toute sa pureté, mais chacun tend vers ce but.

Leçon 16

Par-delà l'éveil, le rêve et le sommeil,
les royaumes de la conscience sont infinis.

Un magicien existe simultanément
dans tous les temps.

Un magicien perçoit de multiples versions
de chaque événement.

Les lignes droites du temps sont en fait
les fils d'un faisceau infini.

Arthur se demandait pourquoi la robe de Merlin était brodée de lunes et d'étoiles.

— Je vais te montrer, proposa Merlin.

Il emmena Arthur dans la forêt et le fit asseoir au sommet d'une colline.

— Maintenant, dis-moi quelle est la chose la plus éloignée que tu vois.

— Je vois la forêt qui s'étend sur des kilomètres jusqu'à l'horizon. C'est le plus loin que je vois, dit Arthur.

— Et qu'est-ce qui est plus éloigné que cela ? demanda Merlin.

— L'extrémité du monde, le ciel et le Soleil, je suppose, répondit Arthur.

— Et au-delà ?

— Les étoiles et l'espace vide qui s'étend à l'infini.

— Serait-ce toujours vrai si tu pivotais sur toi-même ? demanda Merlin.

L'enfant acquiesça.

— Très bien, répondit le magicien. À présent, suis-moi.

Il le conduisit au bord de la rivière où ils se reposaient souvent l'après-midi.

— Maintenant, quelle est la chose la plus éloignée que tu puisses voir ? demanda Merlin.

— Dans une forêt aussi dense que celle-ci, je ne puis voir au-delà du dernier lacet de la rivière, là-bas.

Arthur désigna un endroit distant d'une centaine de mètres.

— Mais tu sais que la rivière se jette dans la mer et que l'horizon borde celle-ci ? demanda Merlin.

Arthur acquiesça.

— Alors à l'horizon succéderaient l'extrémité du monde, le ciel, le Soleil, les étoiles et un immense espace vide, exactement comme tout à l'heure ? demanda Merlin.

— Oui, répondit Arthur.

Le magicien, l'air apparemment satisfait, conduisit son disciple dans la grotte de cristal.

— Et, à présent, quel est le point le plus éloigné que tu aperçois ? demanda-t-il.

— Il fait sombre et je ne vois que les murs de la grotte, dit Arthur, mais, avant que tu me poses la question, j'admets qu'en dehors de cette grotte se trouvent la forêt, les collines, l'horizon, le ciel, le Soleil, les étoiles et un espace vide.

— Alors suis-moi bien, ajouta Merlin d'une voix plus forte. Peu importe où tu te trouves, le même infini s'étend dans toutes les directions. Tu es donc le centre de l'univers, où que tu ailles.

— Ce doit être une illusion, objecta Arthur.

— Non, ce sont tes sens qui te trompent en te faisant croire que tu es situé à un endroit. En vérité, tous les points du cosmos sont un seul et même point vers où convergent toutes les directions depuis l'infini. Il n'y a pas d'« ici », de « là-bas », de « près » ou de « loin ». Aux yeux du magicien il n'existe que partout et nulle part. Si tu savais cela, tu porterais également des motifs de lunes et d'étoiles sur tes vêtements. Si tu n'étais pas le jouet de tes sens, tu comprendrais que la Lune et les étoiles se trouvent ici, juste à côté de toi.

— Quand le comprendrai-je ? demanda l'enfant.

— Plus tard. Quand les remous de ton âme s'apaiseront, tu découvriras ton ciel intérieur.

Comprendre la leçon

Si nous en croyons nos sens, l'espace et le temps n'ont rien de mystérieux. Du sommet de la colline, nous apercevons l'horizon qui borde la terre et la trajectoire du Soleil dans le ciel. Le temps égrène ses secondes sur un axe linéaire qui relie le passé au futur. Mais, pour un magicien, le temps et l'espace sont infiniment mystérieux. Le magicien croit en un présent éternel, il voit tous les événements se produire simultanément, et tout endroit est le même point entouré par un espace infini.

« L'espace-temps ordinaire est un voile que tu n'as pas encore déchiré, disait Merlin. Aussi longtemps que tu te fieras à tes sens, tu demeureras de ce côté du voile. Si tu transcendes tes impressions sensorielles, tu découvriras alors des royaumes et des mondes que tu ne peux encore imaginer. Chacun d'eux est un état de conscience et la découverte de ces nouveaux mondes dépend uniquement de ton aptitude à affiner ta conscience et à t'élever jusqu'à ces réalités si proches. En ce moment, toi et moi pouvons voir l'infini dans toutes les directions, mais nous en faisons un usage très différent. »

Pour utiliser l'infini, vous devez modifier votre conception mentale du temps et de l'espace en écartant la perception grossière des sens. Vous savez déjà que l'extrémité du monde ne coïncide pas avec l'horizon, que le Soleil ne monte pas véritablement dans le ciel. Les faits qui ont remplacé ces croyances erronées peuvent paraître très solides, mais ils sont aussi susceptibles de révision. Un magicien perçoit par exemple le temps comme un fragile faisceau de fils qui se tissent petit à petit. Chaque fois que vous prenez une décision, vous créez une nouvelle succession d'événements qui débute à ce moment. Jusqu'à ce que vous preniez cette décision, ce fil temporel n'existait pas.

En considérant le temps de cette manière,

comme subjectif et créatif, le magicien peut insérer sa propre version des événements dans le faisceau de fils temporels et modifier ainsi passé et futur.

— Peut-on vraiment modifier le passé? demanda Arthur.

— Bien sûr, répondit Merlin. Vous autres mortels avez l'habitude de croire que le passé crée le présent et le présent le futur. Ce n'est qu'un point de vue arbitraire. Imagine un instant ta propre version d'un futur parfait. Projette-toi dans ce futur, tout ce que tu désirais est alors réalisé. Peux-tu imaginer cela?

Arthur acquiesça, parce qu'il avait eu soudain une vision de Camelot dans toute sa splendeur.

— Très bien. Maintenant ramène ce souvenir dans le présent. Laisse-le influencer ton comportement à partir de cet instant. Si tu as imaginé la paix, la satisfaction et une totale absence de peur, éprouve-les dès à présent. Quand des sensations de peur, de colère ou de frustration remontent du passé, écarte ces souvenirs et substitue-leur tes futurs souvenirs. Débarrasse-toi du fardeau du passé et laisse-toi guider par ta vision d'un futur pleinement exaucé. Vois-tu ce qui se produit?

— Je n'en suis pas sûr, répondit Arthur.

— Tu vis à contretemps exactement comme un magicien. Tu peux à tout moment commencer à vivre ce futur de rêve. Pourquoi ne devrais-tu vivre que le passé? Quand ils se projettent dans le futur, les mortels sont toujours encombrés par le fardeau de la mémoire; ils se résignent à laisser le passé gouverner le présent. Le magicien choisit de laisser le futur créer le présent — voilà ce que signifie vraiment vivre à contretemps.

— Et tu as donc changé le passé en l'empêchant d'influencer plus longtemps tes actions présentes, dit Arthur.

— Exactement. Mais ce n'est pas tout. Le passé peut être changé beaucoup plus profondément. Quand tu apprendras que c'est ta propre conscience qui invente le temps, tu découvriras que le passé n'existe pas. Seul existe l'éternel présent, perpétuellement renouvelé. Le passé est constitué de souvenirs, le futur de potentialités. Le moment présent est le pivot de toute représentation du futur. Modifie donc complètement le passé en le considérant comme irréel, comme un fantôme de l'esprit.

Vivre à contretemps n'est pas un fantasme, car vous imaginez déjà un certain scénario du futur. Votre conscience a élaboré des schémas d'évolution grâce auxquels vous projetez vos espoirs dans le temps. Vous anticipez selon un schéma de permanence : vos amis resteront vos amis, vous garderez votre famille, votre travail. À un niveau plus profond, vous partagez la représentation collective d'une permanence de votre pays, de son gouvernement — dans ses grandes lignes —, etc. Et, au-delà de ça, votre perception du réel suppose que la gravité, la lumière et les autres lois naturelles ne changeront pas.

La référence à un modèle d'évolution du monde a une telle prégnance psychologique

que nous souffrons quand ce modèle est menacé par un changement quelconque, important ou inattendu, dans nos vies. Nous utilisons aussi des projections pour parvenir à une existence plus épanouie que la nôtre à ce moment précis. Nous avons tous des rêves, des souhaits, des peurs et des croyances — projections de nos modèles internes —, qui nous donnent comme une seconde vie, entièrement projective. Aux yeux d'un magicien, la plupart des gens ressemblent à des trains qui foncent sur les rails que leurs phares éclairent; ils ne voient que ces rails et ignorent l'infini espace de possibilités qui s'étend de chaque côté de la voie.

Représentez-vous le temps comme une voie de chemin de fer. Notre sens étriqué du temps est tributaire de nos préjugés bornés. Un pessimiste croit que tout tournera mal, ce qui révèle un schéma simpliste de compréhension du futur. Un idéaliste croit que des valeurs plus nobles finiront par l'emporter et projette un autre schéma du futur. Quand le pessimiste est confronté à une évolution positive ou que l'idéaliste doit affronter des réalités rien moins qu'idéales, tous deux ignorent la réalité au profit de leurs schémas. Cette remarque ne vise pas à critiquer l'utilité des schémas mais à souligner qu'ils ne captent pas toute la réalité. Au lieu d'affronter le moment présent, nous vivons tous à contretemps, en nous servant de nos projections du futur pour nous guider dans nos actions présentes. Mais, à la différence du magicien, nous ne le faisons pas consciemment.

Au lieu de laisser votre inconscient vous tenir en laisse, cet inconscient qui vous impose un futur prévisible, vous pouvez reprendre le contrôle de votre remarquable aptitude à la projection. Vivez dès à présent l'idéal le plus élevé. Projetez-vous dans un futur fondé sur la croyance que vous êtes important pour l'univers, que vous vous élevez vers une conscience plus haute, que l'amour, la vérité et l'autoacceptation sont déjà acquis. Il n'est pas nécessaire que vous ayez atteint ces états pour pouvoir dès à présent les éprouver. C'est en les éprouvant maintenant que vous les vivrez.

Vivre avec la leçon

Comme nous venons de le voir, il est crucial de vous débarrasser de vos vieilles croyances sur le temps et l'espace, car ce que vous prenez pour l'espace et le temps « réels » sont en fait de simples préjugés hérités de l'enfance.

« Je l'appelle le faisceau du temps, expliquait Merlin, parce que je me vois moi-même comme une araignée qui demeure immobile au centre de tous les événements qui rayonnent à partir de moi comme des fils de la Vierge. Chaque événement est nécessaire à la création de la toile, exactement comme chaque fil mais je peux choisir d'en suivre un à la fois, si je le désire. » Le magicien passe, sans difficulté, du temps local au temps universel, d'une vision fragmentaire à une vision globale des événements.

Comment pouvez-vous apprendre à envisager le temps comme un tout et non comme une simple ligne droite ? Dans notre récit, Merlin montre à Arthur comment se voir lui-même comme le centre spatial de l'univers, où qu'il se trouve. Il en va de même pour le temps. Concentrez-vous sur l'instant présent puis remontez le temps : hier, l'an dernier, dix ans en arrière. Continuez jusqu'à ce que vous ayez atteint l'époque de votre naissance, puis faites défiler en accéléré les siècles passés, la préhistoire, les premiers âges de la Terre. Remontez jusqu'à la naissance de la Terre, du Soleil et des étoiles. Vous avez supprimé les étoiles, vous en êtes au stade primitif de l'univers, vous allez arriver au moment du big bang. Vous ne serez sans doute pas capable d'imaginer le monde avant le big bang, mais vous pouvez pourtant continuer. Le temps ne saurait avoir de commencement, puisque, chaque fois qu'on postule un début, on peut objecter : qu'y avait-il avant ce début ?

De même, si vous partez de l'instant présent et avancez dans le futur, vous vous trouverez peut-être à court d'images après la fin du monde que vous aurez imaginée, la fin du Soleil, la fin des galaxies. Mais le temps ne connaîtra jamais de fin, parce que vous pouvez toujours demander : « Qu'arrive-t-il après cet ultime instant ? » En bref, le temps est une éternité qui s'étend dans les deux directions, peu importe le moment choisi comme point de départ. Vous en tirerez deux conclusions : vous êtes le centre de l'éternité et tous les points du temps sont en fait les mêmes. Ce doit être vrai si l'éternité est égale à elle-même, quel que soit le point du temps où l'on se place. On a dit que le temps avait été inventé par la nature pour nous éviter de tout ressentir simultanément. On pourrait aussi affirmer que, grâce au temps, la nature nous permet de réaliser nos désirs un à un, ce qui est après tout la façon la plus agréable de le faire...

En fait, chaque moment englobe tous les autres moments, et seul le travail de votre attention crée l'illusion de la partition passé-présent-futur. Votre esprit est un couteau à découper le continuum spatio-temporel en minces tranches d'expériences linéaires. Quand vous saurez utiliser ce pouvoir consciemment, vous deviendrez un magicien.

« Ecris le mot *nowhere* (nulle part), suggéra Merlin à Arthur, puis réécris-le : *now here* (maintenant ici). Ce petit décalage renferme la vérité sur l'espace et le temps. Tu es issu d'un continuum sans commencement temporel ni spatial. Étant infini et éternel, tu ne viens de nulle part. Pourtant ce continuum infini, éternel, s'est incarné dans le moment présent. Ton esprit et tes sens ont localisé l'éternité dans un point qui est « ici-maintenant ». La relation entre *nowhere* (nulle part) et *now here* (maintenant ici) est la relation entre l'infini et ce moment que tu vis à présent.

Leçon 17

Les chercheurs ne sont jamais perdus,
parce que l'esprit leur fait toujours signe.

Ceux qui cherchent reçoivent sans cesse
des indices du monde de l'esprit. Les gens
ordinaires appellent ces indices coïncidences.

Pour un magicien, les coïncidences
n'existent pas.
La fonction de chaque événement est de dévoiler
une nouvelle facette de l'âme.

L'esprit veut vous rencontrer. Pour répondre
à son appel, vous devez être désarmé.

Quand vous cherchez, partez de votre cœur —
le cœur est la maison de la vérité.

Merlin avait l'étrange habitude de se réjouir, en apparence, des petits malheurs d'Arthur. Si l'enfant rentrait à la grotte couvert d'écorchures et de bleus, parce qu'il était tombé d'un arbre, le magicien murmurait : « Bien » d'une voix presque inaudible. Un jour d'orage, un vieux sycomore vermoulu frappé par la foudre faillit heurter Arthur en tombant. « Bien fait », marmonna Merlin.

Bien qu'exprimées à voix basse, ces remarques blessaient beaucoup Arthur. Il se jura à lui-même de dissimuler à son maître tous ses petits désastres futurs mais, le jour suivant, alors qu'il coupait du bois à proximité de la grotte, la hache dérapa soudain ; en une fraction de seconde, la lame trancha la chaussure d'Arthur, manquant de peu ses orteils. En l'entendant hurler de frayeur, Merlin accourut et jeta un coup d'œil expert à la chaussure.

— De mieux en mieux, dit doucement Merlin.

Arthur explosa :

— Comment peux-tu être heureux de me voir blessé ? cria-t-il.

— Heureux ? De quoi parles-tu ?

Merlin semblait sincèrement désemparé.

— Tu crois que je ne m'en suis pas aperçu, mais chaque fois qu'il m'arrive un malheur, tu as l'air ravi.

Merlin fit la grimace.

— Tu ne devrais pas écouter les conversations qui ne te sont pas destinées, surtout les conversations entre moi et moi-même.

L'enfant parut encore plus consterné. Il était sur le point de fuir Merlin et son cœur de pierre quand le magicien le retint par l'épaule.

— Tu crois me comprendre mais tu ne comprends pas, lui dit son maître.

Sa voix se radoucit.

— Je ne me réjouissais pas de ta mésaventure. Je me réjouissais de ta façon de t'en tirer. Ces accidents auraient pu être bien pires.

— Veux-tu dire que tu m'as sauvé du danger? demanda Arthur, stupéfait.

Merlin secoua la tête.

— Tu t'es sauvé toi-même ou du moins tu apprends. Il n'y a pas d'accidents, contrairement à ce que vous croyez, vous autres mortels. Seuls existent la cause et l'effet et, quand la cause est éloignée dans le temps, l'effet se produit alors que celle-ci est déjà oubliée. Mais tu peux être sûr que tout ce qui t'arrive en bien ou en mal résulte de quelque action passée.

Parce qu'il était jeune et confiant en son professeur, Arthur accepta cette nouvelle explication. Il réfléchit quelques instants.

— Tu dis que ces mésaventures sont une sorte de contrecoup. Si je hurlais hier et que l'écho ne me parvienne qu'aujourd'hui, je pourrais avoir complètement oublié son origine.

— Exactement.

— Mais comment apprendre à empêcher ces réactions à retardement, si je les ai déjà oubliées? demanda l'enfant.

— En étant plus éveillé. Les actions nous renvoient sans cesse leurs conséquences de différentes directions. Tant de causes et d'effets s'entrecroisent autour de nous qu'on doit être très vigilant pour les détecter. Dans l'univers, rien n'est dû au hasard. Tes actions passées ne reviennent pas pour te punir mais pour capter ton attention. Elles sont des sortes d'indices.

— Des indices? De quoi?

Merlin sourit.

— Si je te le disais, l'intérêt de l'indice serait annulé. Il te suffit de savoir que tu n'es pas celui que tu penses être. Ta vie se déroule simultanément à différents niveaux de réalité. Appelons l'un de ces niveaux esprit. Imagine que tu ne te connaisses pas toi-même comme esprit, mais que ton esprit te connaisse.

« Qu'est-ce qui serait plus naturel pour lui que de t'appeler ? Les indices qui tombent du ciel sont des messages de l'esprit mais tu dois être vigilant pour les capter.

— J'ai défoncé ma chaussure avec une hache, et un arbre déraciné a failli me heurter, voilà tout. C'est une pure coïncidence que je me sois tenu sous l'arbre pour échapper à l'orage, protesta l'enfant.

— C'est toi qui le prétends et c'est ce que les mortels aiment raconter à longueur de temps. Mais, si tu fais attention, tu repéreras un indice voilé dans toutes ces « coïncidences ». À toi de les interpréter. Permets-moi toutefois de te dire ceci : si cet arbre était tombé sur toi, ou si tu t'étais blessé aujourd'hui, je ne me serais pas lamenté. J'aurais pensé : les avertissements de l'esprit sont difficiles à capter. Comme tu évites de mieux en mieux les désastres, je peux affirmer désormais : il apprend à écouter.

Comprendre la leçon

De tous les mondes qu'habite le magicien, les plus éloignés l'un de l'autre sont la matière et l'esprit. Ce sont également les deux pôles de notre existence. Il est naturel d'osciller d'un pôle à l'autre, de la foi au scepticisme, jusqu'à ce que les opposés se réconcilient. De nos jours, le balancier s'éloigne du pôle matériel bien qu'il exerce encore sa suprématie sur nos pensées à tous. Quand nous parlons de cause et d'effet, nous voulons évoquer des interactions physiques — le Soleil fait tourner la Terre, la friction d'une allumette produit une flamme, la foudre frappe un arbre et cause sa chute. Le fait que les êtres humains habitent cet espace causal n'y change rien. Les lois de la nature agissent sans se soucier de nous.

Le magicien n'accepte pas ce point de vue matérialiste. Selon Merlin, dans la nature, chaque action, insignifiante ou non, a une signification humaine. Cela parce qu'il regarde vers le pôle opposé, le monde de l'esprit, pour découvrir la véritable origine de la causalité.

— Vous autres mortels devriez être beaucoup plus vaniteux, dit-il à Arthur.

— Plus vaniteux ? Tu dis souvent qu'aucune créature n'est aussi pétrie de vanité, répliqua Arthur.

— Ce que je crois toujours vrai mais, si vous étiez encore plus vaniteux, vous découvririez à quel point vous êtes uniques. L'univers est organisé autour de votre destin et obéit à vos moindres caprices, et pourtant vous vous plaignez de la complète indifférence de Dieu et de la nature.

— Si Dieu n'est pas indifférent, pourquoi ne dévoile-t-Il donc pas Ses intentions ?

— Cela, tu devras le chercher pour le découvrir. Peut-être ce monde tout entier a-t-il été conçu comme un jeu de cache-cache divin.

— Ce serait alors un jeu très cruel, répondit

Arthur en secouant la tête. Je n'éprouverais aucune affection pour un père aimant qui aurait refusé de me montrer son visage. À quoi rimerait son prétendu amour?

— Ne sois pas si sûr que c'est Lui qui l'a décidé ainsi, avertit Merlin. Dieu semble absent, mais peut-être est-ce vous qui L'avez chassé.

La question qu'aborde ici Merlin dépend du point de vue que l'on adopte. Si vous voyez le monde d'un point de vue mécaniste, les événements se produisent sans égard pour l'existence humaine. Si vous considérez en revanche l'esprit comme la force primordiale de l'univers, alors l'indifférence supposée de la nature vous apparaîtra comme un masque trompeur, peut-être même déchiffrerez-vous ses messages. Les magiciens percent le masque et décryptent le message de l'esprit contenu en tout événement, mais les messages restent inaudibles aussi longtemps que notre perception est brouillée.

C'est pourquoi Merlin appelle les messages des indices. La présence d'indices suppose une énigme. Dans le cas présent, l'énigme est la suivante : comment le monde concilie-t-il ses aspects spirituel et matériel, comment le même acte peut-il apparaître aussi bien comme l'œuvre d'un Dieu totalement indifférent que comme le signe de Sa présence aimante?

« Je ne me complais pas dans les paradoxes uniquement pour satisfaire une manie, déclarait Merlin. Tout est affaire de point de vue. Si quelqu'un accourt vers toi les bras grands ouverts, tu peux le considérer comme un agresseur si tu as le sentiment que cette personne est un ennemi, ou l'embrasser si c'est un ami. Un nourrisson peut donner des coups de pied et crier quand sa mère lui nettoie le visage, mais du point de vue de la mère c'est un acte d'amour de le laver. De même, tous les événements que vous appelez des mésaventures, voire des châtiments divins, expriment en fait la compassion de Dieu qui choisit toujours le moyen le plus bienveillant de corriger les déséquilibres de la nature. C'est toi qui crées ces déséquilibres, qu'Il doit ensuite compenser pour t'épargner des malheurs encore plus graves. »

Les chercheurs essaient de résoudre l'apparent paradoxe de l'indifférence divine ou de l'amour divin. Ils examinent les crises que la plupart des gens éludent, parce que les plus profondes vérités surgissent souvent d'une blessure, d'un échec ou d'un désastre. Cette énigme vaut la peine que l'on consacre sa vie entière à la résoudre.

« Comprends-moi bien quand j'affirme que l'esprit multiplie les indices, disait Merlin. Je ne veux pas dire que les indices sont flagrants ni que l'énigme sera facile à résoudre. »

Vivre avec la leçon

Étant admis que l'esprit sème des indices autour de vous, comment les reconnaître ? Il faut tout d'abord accepter de reconnaître leurs multiples manifestations. Ainsi, quand vous rencontrez quelqu'un à qui vous étiez justement en train de penser, quand vous entendez proférer un mot qui vient de vous traverser l'esprit, quand vous retirez un avantage inattendu de projets qui échouent, quand vous remarquez qu'il y a trop de coïncidences dans votre vie pour que ce soient seulement des coïncidences. L'esprit envoie souvent ses premiers messages sous cette forme — appelons-les des premières rencontres. Échapper de justesse à un malheur, être victime d'un accident qui tourne bien, voir ses prémonitions se vérifier — autant de messages de l'esprit. Dans tous ces cas, les schémas normaux de causalité sont malmenés, parfois brisés. Si vous leur appliquez une logique du type : A cause B qui à son tour cause C, le schéma ne convainc pas, parce que ces coïncidences sont trop surprenantes et trop personnelles. La question véritable n'est pas : « Pourquoi cela est-il arrivé ? » mais : « Pourquoi cela m'est-il arrivé à moi ? »

Certes, l'apitoiement sur soi peut susciter la même question. On doit apprendre à la poser différemment, avec une curiosité dénuée de pitié. L'ego pense que rien de bon ne peut résulter d'un événement étrange ou mauvais. Pourtant tout ce qui arrive est *utile* à quelque chose. Afin d'éviter de véritables désastres, l'esprit doit parfois montrer une plus haute forme d'affection, en infligeant une dure leçon par compassion. Et qu'en est-il des vrais désastres ? Ces événements, le magicien les envisage comme le meilleur qui pouvait arriver compte tenu du complexe enchevêtrement de causes et d'effets dans lequel sont impliqués tous les êtres.

Il arrive souvent que les indices de la vie quotidienne ne contiennent aucune signification spirituelle. Ce sont simplement des signes avant-coureurs, une incitation à la vigilance. Chacun fait l'expérience d'événements inhabituels mais, à moins de les comprendre comme des indices, leur signification échappe, on passe à côté d'eux sans les remarquer, ils restent inexploités.

Il est important de disposer d'un cadre interprétatif, de savoir que l'esprit, votre autre visage, rayonne sous le voile de la matière. Si vous acceptez d'accueillir les signes qu'envoie l'esprit, ceux-ci commenceront à changer. Au lieu de simples coïncidences rapidement oubliées, les indices commenceront à se charger de significations spirituelles. À cette catégorie appartiennent les prières exaucées, ainsi que les expériences de mort imminente, les visions d'auras ou de lumières divines et la perception des anges. Notre société accorde une attention sans précédent à ce genre de phénomènes qu'on confond souvent avec des « phénomènes » au sens scientifique du terme. Un phénomène est par définition impersonnel. Un magicien dirait que les indices sont extrêmement personnels. Ils sont destinés à guider quelqu'un.

Pour décrypter leur sens caché, vous devez demander qu'ils vous soient révélés. « N'attends pas de l'esprit qu'il écrive un livre et te le lise, disait Merlin. La vie est créative et l'esprit aussi. Chaque indice que vous recevez est adapté à votre niveau de conscience. Remerciez l'esprit de rester invisible, de se tenir en retrait. Réjouissez-vous de pouvoir demeurer un chercheur toute votre vie, car si l'esprit dévoilait ses secrets, une fois pour toutes, vous n'auriez plus que d'agréables souvenirs, votre futur serait gris et morne. »

Parce que l'esprit — source de toute vie et créateur de la vôtre — est invisible et changeant, comprendre ses interventions exige une attention totale. Parfois les indices nous sautent aux yeux comme un coup de tonnerre dans un ciel bleu, parfois ils croisent notre chemin aussi silencieusement qu'un chat qui passe furtivement dans la lueur de l'aube, parfois ils nous sourient et nous procurent des frissons de joie. Rencontrer l'univers du magicien est une grande joie parce que le monde entier redevient vivant. Plus rien n'est mort ni inerte désormais, la moindre chose peut devenir un signal qui vous oriente dans votre grande quête de vous-même. « Respectez votre mystère. Rien n'est plus profond, disait Merlin. Mais poursuivez-le sans relâche, efforcez-vous sans cesse d'arracher le voile. La vie prodigue un peu plus de son mystère à travers ces signes, là est sa richesse. »

Leçon 18

*On peut vivre l'immortalité au
sein de la mortalité.*

*Le temps et l'intemporel ne sont pas
des contraires.
L'intemporel n'a pas de contraire
parce qu'il englobe tout.*

*Concernant notre ego, nous luttons pour
résoudre nos problèmes... mais, pour l'esprit,
le problème, c'est la lutte.*

*Le magicien est conscient du conflit entre l'ego
et l'esprit, mais il comprend que tous deux sont
immortels.*

*Tout ce qui vous compose est immortel,
y compris les aspects que vous critiquez le plus
sévèrement.*

Au tout début de son règne, Arthur entendit
parler d'un fou vivant dans les profondeurs de
la forêt de Camelot. « Ne prête pas attention à
ses racontars futiles, lui conseillèrent des
sages. Ce n'est qu'un fou qui s'est enfermé dans
une cahute. Il ne fera pas de vieux os. »

Mais Arthur était troublé. Il convoqua ses chevaliers et entreprit des recherches afin de trouver le fou. Après plusieurs heures de marche, le cortège royal déboucha dans une clairière bordant la grande allée de la forêt. Au milieu de la clairière se dressait une hutte de terre et de branches si grossièrement bâtie que les parois étaient hérissées de bouts de branches non taillées. Arthur descendit de cheval et marcha vers la hutte. Elle n'avait pas de porte, seulement une petite ouverture pour l'aération.

— Qui est là ? demanda-t-il.

— Quelqu'un qui n'est pas de ce monde, répondit une voix affaiblie.

Arthur demeura immobile quelques instants, songeur.

— Je voudrais discuter avec toi, qui que tu sois. Par ordre du roi, sors !

— Je n'ai pas de roi. Laissez-moi tranquille, répliqua la voix.

— Mais tu n'as ni nourriture ni eau. Tu as besoin d'aide, insista Arthur.

— Je n'ai pas besoin de votre aide, lança la voix, après quoi elle n'ajouta plus un mot.

Les courtisans pressèrent Arthur de partir, embarrassés de son intérêt pour ce fou, mais, au lieu de cela, le roi ordonna qu'on lui amène quiconque pourrait fournir des informations sur cet homme. Des cavaliers s'élancèrent dans la forêt et revinrent accompagnés d'une vieille femme en guenilles.

— C'est sa femme, lança l'un des cavaliers.

La femme s'avança, interdite et visiblement effrayée.

— Ne craignez rien. Mon seul souhait est d'aider votre mari, dit Arthur.

La femme tremblait encore mais répondit :

— Il m'a répudiée. Mon William a juré de rester emmuré dans cette hutte jusqu'à ce qu'il meure ou reçoive un signe de Dieu.

— Pourquoi ? demanda Arthur.

— Par chagrin, sire. Nous avions un fils qu'il chérissait plus que tout au monde. Mon William est bûcheron. Un jour, il est parti dans la forêt avec notre enfant âgé de six ans. Will était absorbé par son travail, et notre petit gars a filé sans qu'il s'en aperçoive. Nous avons appelé et cherché à en tomber d'épuisement et, le lendemain, nous avons retrouvé son petit corps flottant dans la rivière. Notre enfant s'était noyé et mon mari n'a jamais pu se le pardonner.

Cette histoire peina beaucoup Arthur.

— Le chagrin n'est pas une raison pour se tuer, dit-il.

— C'est ce que je pense, répondit la pauvre femme. Mais il a juré que jusqu'à ce que Dieu Lui-même vienne lui dire pourquoi notre fils nous a été enlevé, il maudirait ce monde et n'aurait plus aucun rapport avec lui. « J'ai été le témoin des souffrances que Dieu inflige aux hommes toute ma vie et je ne veux plus rien avoir à faire avec Lui. S'Il n'apparaît pas en personne pour S'expliquer, j'aime autant mourir. » Ce sont ses propres termes.

Malgré la confession déchirante de cette femme, Arthur ne pouvait s'empêcher d'être fasciné par l'étrange rapport de cet homme à Dieu.

— Ce récit est-il exact? demanda-t-il en s'adressant à la hutte.

Il entendit un grognement sourd, mais Will le bûcheron n'avait rien à ajouter.

— Je vais passer la nuit ici et parler à ce pauvre hère, annonça Arthur, en renvoyant son escorte.

Les courtisans rechignaient à laisser leur roi seul dans la forêt, mais il finit par les convaincre de s'éloigner et d'installer leur campement à quelque distance de là. Une nuit sans lune ne tarda pas à tomber. Arthur s'assit à côté de la hutte, emmitouflé dans son manteau afin de se protéger de l'humidité.

— D'une certaine manière, je me sens plus proche de toi que de n'importe lequel de mes sujets, affirma le roi. Je suis novice dans ma charge et je compatis de tout cœur aux souffrances des gens que je rencontre. On voit des pauvres, des malades et des infirmes partout, mais leur sort me concerne particulièrement et, depuis que je suis roi, j'ai passé de nombreuses nuits blanches à me demander comment soulager les malheurs de ce monde. Il me semble que je pourrais passer toute ma vie et dépenser toute ma fortune à combattre la misère qui m'entoure. Mais, comme le blé au printemps, les semences du malheur repousseraient deux fois plus dru la saison suivante.

La voix dans la hutte l'interrompit soudain :

— J'attends Dieu. Je n'ai que faire de tes discours. Laisse-Le répondre Lui-même!

186

— Très bien, répondit Arthur. Mais permets-moi tout de même de sonder ton âme. J'ai eu un maître nommé Merlin, et il m'a enseigné qu'il existe un seul remède contre le mal : ne pas lutter contre lui et comprendre qu'il n'existe pas.

— Propos stupides, cherche un autre maître ! lança la voix.

— Prête-moi encore un peu d'attention, insista Arthur. Merlin m'a appris que le bien et le mal ne cessaient de s'affronter. Ils sont nés tous deux il y a des milliers de générations. Et aussi longtemps qu'existeront la lumière et l'obscurité, le bien et le mal perdureront.

— Si c'est ce que tu penses, perds tout espoir et enferme-toi dans cette hutte avec moi, car tu as découvert les vrais sentiments de Dieu à l'égard de ce monde. Il veut que nous souffrions, déclara la voix avec amertume.

— J'ai ressenti la même chose que toi durant des années, mais Merlin m'a montré qu'il existe deux voies dans la vie. Sur l'une d'elles, quelqu'un s'efforce de gagner la récompense de son paradis et, s'il vit vertueusement, il atteindra son but. Mais même au paradis les motifs d'insatisfaction existent et, finalement, à force d'ennui ou de crainte que ce paradis ne soit pas mérité, il se trouvera un être pour s'engager sur la voie opposée. Il se perdra et finira en enfer. L'enfer doit exister tout autant que le paradis, mais il est aussi provisoire, car après un certain temps l'âme égarée se lassera de ses tourments et recommencera à s'élever. Ainsi la première voie qui s'offre à l'être est un cercle sans fin qui va du ciel à l'enfer et vice versa.

— Si ce que tu dis est vrai, nous sommes non seulement maudits mais tournés en dérision, répondit la voix avec une amertume encore plus marquée. Comment aimer un père qui n'offre le paradis que pour mieux nous renvoyer en enfer ?

— Tu as raison, dit Arthur. Mon maître m'avait précisément montré cela. Mais il me parla également d'un autre chemin. La clé de ce chemin consiste à comprendre que nous créons nous-mêmes le paradis et l'enfer, que c'est nous qui perpétuons ce cercle. Notre manichéisme nous impose cet antagonisme du bien et du mal, tout comme la lumière renvoie à l'ombre, sinon elle ne serait plus lumière. Quand on a saisi ce schéma, on peut faire un autre choix.

— C'est-à-dire ?

— Renoncer à la dualité, refuser paradis et enfer. Merlin disait qu'au-delà du jeu des contraires se trouve un royaume de pure lumière, de pur être, de pur amour. « Toute cette affaire de bien et de mal !... Cesse de courir après ton ombre et oublie cela. » Je ne puis parler pour vous, mon ami, mais à mon sens c'est ainsi qu'il faut entendre le message de Dieu. S'Il doit nous apparaître, c'est à travers notre propre compréhension de ce qui est possible. Nous avons la liberté de choisir de nous enchaîner pour toujours au cycle du plaisir et de la peine. Mais nous sommes également libres d'en sortir et de faire cesser notre souffrance.

Arthur s'arrêta, soudain conscient de l'étrangeté de ce dialogue avec ce pauvre hère inconnu.

— Je suis désolé de venir troubler votre chagrin, dit-il finalement. Je vais partir maintenant.

L'homme ne répondit pas.

Arthur se leva, s'emmitoufla dans son manteau et partit vers la forêt. Au bout de cent mètres environ, il perçut une lueur derrière lui et entendit un crépitement de flammes. Craignant que le fou n'ait mis le feu à sa hutte, il fit demi-tour et il commençait à courir quand il fut stoppé net.

La hutte était devenue une sphère d'éblouissante lumière blanche d'où sortit un ange qui lui lança :

— Dieu m'avait prévenu que vous autres mortels déteniez un secret, et comme toujours Il avait raison. Vous savez que Dieu ne Se trouve pas seulement au ciel, mais bien au-delà dans le royaume du pur esprit.

Ayant proféré ces paroles, l'ange disparut.

Comprendre la leçon

Il y a deux voies dans la vie, tel est l'enseignement essentiel de cette leçon. La première voie opte pour une vision duelle de la réalité; pour celle-ci, le bien et le mal auxquels nous sommes confrontés chaque jour sont de simples faits que nous devons combattre au mieux. La seconde voie considère cette dualité comme un choix que nous faisons. Tout ce qui compose la création paraît doté de son contraire, sauf la totalité. La totalité de l'esprit n'a pas d'opposé parce qu'elle englobe tout. Pour choisir la seconde voie, il faut vouloir renoncer à se battre contre le mal. Telle est la voie du magicien.

Quand nous reconnaissons le mal, nous éprouvons évidemment peur et colère. La lutte naît de cette réaction et elle semble un moyen adéquat de chasser le mal. Mais si la peur et la colère étaient la cause du mal ? Si nos réactions alimentaient un interminable cercle vicieux ? La seconde voie est née de ces questions. Nous ne prétendons pas que la lutte soit erronée, qu'il faille se soumettre au mal. Mais la fin du mal est une grave question et les magiciens ont pris position en affirmant qu'on peut y mettre fin à condition de renoncer aux méthodes prônées depuis toujours.

Vivre avec la leçon

Il vous sera impossible de renoncer à la dualité du bien et du mal aussi longtemps que vous l'éprouverez comme réelle. Il faut la remplacer par une expérience plus profonde, inexprimable. La *totalité* et l'*esprit* ne sont que des mots, avant de traduire votre réalité personnelle. *Réalité* signifie toujours expérience. La question est donc : comment faire l'expérience du royaume de lumière dont parlait Merlin. « Sois patient envers toi-même. La disparition progressive de la dualité prend du temps. L'unité naîtra toute seule, à son heure », affirmait-il.

Comme l'esprit nous fait toujours signe, les occasions de le rencontrer abondent. On en a déjà indiqué les premières étapes : vouloir suivre ses indices, méditer pour trouver le pur silence à l'intérieur de soi-même, savoir que le but de l'esprit est vrai et mérite d'être poursuivi.

Cette leçon consolide notre démarche en y ajoutant un nouvel élément. Les hommes déplorent l'existence du mal et le combattent sans succès depuis la nuit des temps. On peut en être très découragé comme l'homme de la hutte. Mais il se nomme Will *(volonté)* pour une bonne raison : notre libre arbitre est l'instrument qui nous permet de briser le cercle du bien et du mal. Telle est la promesse de cette leçon. La voie du magicien est compatissante parce qu'elle résout le problème de la souffrance en nous rapprochant de la lumière spirituelle.

Leçon 19

Les magiciens ne condamnent jamais le désir.
C'est en suivant leurs désirs qu'ils sont devenus
magiciens.

Tout désir est engendré par un désir antérieur.
La chaîne du désir est infinie.
Elle est la vie même.

Ne considérez pas vos désirs comme inutiles
ou erronés — un jour chacun d'eux sera exaucé.

Les désirs sont des graines attendant le bon
moment pour germer. Une simple graine de
désir engendre une forêt entière.

Chérissez tous les souhaits qui naissent
dans votre cœur, si triviaux qu'ils vous
paraissent.
Un jour ces souhaits triviaux
vous conduiront à Dieu.

Le jour de Noël où Arthur arracha l'épée du rocher fut une journée miraculeuse. Dans la foule tumultueuse qui assistait à son exploit, personne ne fut plus surpris que le jeune Arthur lui-même. « Où est Merlin ? » pensa-t-il, certain que le magicien était le véritable auteur de l'exploit. Mais Merlin ne se montra pas.

Tard cette nuit-là, longtemps après que tout le monde fut couché, Arthur se demandait en cherchant le sommeil si son destin était vraiment de devenir roi.

— J'ai besoin de toi, maître, pria-t-il.

Soudain un rai de lumière se dessina sous la porte. Arthur bondit et courut l'ouvrir, mais ce n'était pas le magicien. C'était Kaï, son frère adoptif.

— Comment vas-tu ? demanda Kaï.

Arthur ne savait que dire mais, en se retournant vers la chambre, il eut le souffle coupé.

— Lève ta bougie ! s'exclama-t-il.

Kaï obtempéra et la bougie éclaira trois objets posés sur le lit d'Arthur — une poupée de paille, une fronde cassée et un miroir fendu.

— Tu les vois ? demanda Arthur d'une voix étrange.

Kaï eut l'air embarrassé.

— Je les vois, mais ils n'ont aucun sens pour moi, dit-il.

— J'attendais l'aide de Merlin et ces objets sont apparus. Cette poupée a été mon premier jouet, dit Arthur en la ramassant. Je devais avoir deux ans quand Merlin l'a confectionnée pour moi. J'ai fabriqué cette fronde cassée avec du cuir de cerf et une branche de saule à l'âge de huit ans. J'ai trouvé ce miroir brisé dans la forêt. Sais-tu ce qu'ils ont en commun ? (Kaï secoua la tête.) Ils ont été les objets les plus importants que j'aie possédés, chacun à son époque, et regarde-les à présent.

— Bons à jeter, murmura Kaï.

— Oui. Je suis heureux de les retrouver, car

je sais à présent que Merlin me guidait durant tout ce temps. Tu vois, Kaï, à deux ans, seuls les jouets m'intéressaient. À huit ans, la chasse aux moineaux et aux écureuils était mon passe-temps préféré. À douze ans, je ne cessais de me regarder dans un miroir en me demandant si les filles me trouveraient laid ou séduisant. J'ai abandonné tous ces objets bien que chacun d'eux symbolise les différentes phases de mon évolution. Un jour, j'abandonnerai cette couronne bien qu'elle représente mon seul souhait et mon destin actuel.

En garçon solide et simple vénérant la monarchie, Kaï fut choqué.

— Comment quiconque pourrait-il renoncer à la couronne ? demanda-t-il, abasourdi.

— Parce qu'il viendra un temps où elle sera aussi insignifiante que cette poupée, aussi inutile qu'une fronde brisée et aussi vaine qu'un miroir. Tel est à mon sens le message de Merlin.

Comprendre la leçon

Le désir tient une place particulière dans notre cœur car, bien que les objets du désir ne cessent de changer tout au long de la vie, nos vieux désirs sont jetés au rebut comme s'ils n'avaient jamais compté. On ne cesse jamais de désirer, quel que soit le nombre d'anciens désirs exaucés, mais aucun désir particulier ne dure assez longtemps pour nous permettre d'épuiser le désir lui-même.

« Tu n'es qu'un être humain, et il appartient

à ta nature de désirer sans cesse davantage, disait Merlin. Le désir guide ta vie jusqu'au moment où tu aspires à une existence plus élevée. Ne sois donc pas honteux de désirer autant, mais ne t'égare pas en t'imaginant que ce que tu recherches aujourd'hui te suffira demain. »

Il est évident que le désir ne cesse jamais, bien que cela n'ait pas empêché des êtres — souvent d'une très haute spiritualité — d'essayer de renoncer à celui-ci. En Occident, les chrétiens condamnent la faiblesse de la chair parce qu'elle est associée aux désirs primitifs. En Orient, le bouddhisme condamne le désir comme cause du cycle sans fin du plaisir et de la souffrance. Mais, aux yeux d'un magicien, rien ne justifie une telle condamnation.

— Quand tu partiras dans le monde, dit Merlin à Arthur, tu y remporteras un trophée universellement convoité. La jalousie te suscitera des milliers d'ennemis et t'entraînera dans un conflit pour la couronne qui durera des années.

— Alors je n'y toucherai pas, répondit Arthur, très troublé.

— Non, ce n'est pas la voie, répondit Merlin. Le désir plonge les mortels dans toutes sortes de remous, mais la volonté de Dieu est que tu l'éprouves.

— Mais le désir aveugle les gens et les rend égoïstes. Il déchaîne la violence, comme tu viens de le prédire. Il engendre l'ignorance et dresse les hommes les uns contre les autres.

— Ce sont les *fonctions* du désir, expliqua

Merlin. Il y a ici un mystère que seul le chercheur résoudra. Le désir est-il bon, mauvais, ni bon ni mauvais ? Voici un indice : pour découvrir sa vraie nature, examine la question sans *a priori*. Honore chacun des désirs que tu éprouves. Chéris-les du fond du cœur. Ne lutte pas pour obtenir ce que tu veux, aie foi en l'origine spirituelle de ce désir et laisse à l'esprit le soin de t'exaucer. Peut-être découvriras-tu que la malédiction du désir ne réside pas dans le désir lui-même, mais dans les conflits qu'il engendre parmi les hommes.

Le magicien ne lutte pas pour créer sa propre voie, pour prendre, gagner ou posséder, parce qu'il replace le désir dans un contexte plus large, un cadre spirituel.

— En lui-même, le désir exprime ton besoin le plus profond : atteindre la perfection. Depuis ta naissance, tu n'as jamais eu aucune chance d'être un jour comblé par tes succès, tes biens matériels ou le statut social que tu as acquis. Rien d'extérieur n'aurait pu combler ce désir.

— Alors pourquoi Dieu a-t-Il créé tant d'objets de désir ? demanda Arthur.

— Pourquoi pas ? Qu'y a-t-il d'erroné à vouloir plus de ce monde si le fait même de vouloir est une bonne chose ? répondit Merlin. Considère le désir comme la volonté d'accueillir les dons que Dieu nous envoie. Ce monde est un présent ; rien n'obligeait le Créateur à le faire. La prodigalité de Dieu à ton égard n'est limitée que par ton aptitude à recevoir Ses dons.

— Peut-être, mais pourquoi Dieu n'a-t-Il pas

simplement tracé un chemin nous menant directement à Lui? demanda Arthur.

— Il l'a fait. Le désir *est* le chemin direct car il n'en existe pas de plus direct que tes propres souhaits et besoins. Pourquoi Dieu t'offrirait-Il quelque chose avant même que tu l'aies désiré? Quand tu considères tes propres désirs et les juges négativement, t'es-tu jamais demandé pourquoi tu agis ainsi? Juger le désir, c'est juger sa source, c'est-à-dire soi-même. Craindre le désir, c'est se craindre soi-même. Le problème ne réside pas dans le désir, mais dans ce qui arrive quand tes désirs sont bloqués ou frustrés. Alors commencent la lutte et le jugement. Si tu pouvais voir une manière de contenter tous tes désirs — ce que Dieu te souhaite en permanence —, tu verrais qu'en l'absence de désir tu serais incapable de grandir. Imagine-toi comme un enfant qui n'a jamais voulu cesser de jouer, sans l'émergence perpétuelle de nouveaux désirs tu resterais prisonnier d'une éternelle immaturité.

Vivre avec la leçon

Le discours de Merlin sur le désir touche un point sensible parce que nous vivons dans une société où les gens accumulent de plus en plus de biens matériels. La conséquence de cette situation n'est pas le bonheur parfait, loin s'en faut. Cette abondance cache bien souvent un vide spirituel. Le désir de posséder une maison, une voiture et un compte en banque n'est nullement erroné ou honteux. Le vide spirituel n'est pas *engendré* par le désir de biens matériels. Il est engendré par l'incapacité des apparences extérieures à satisfaire l'attente qui s'était tournée vers elles. Les apparences ne peuvent satisfaire les besoins spirituels. Le proverbe selon lequel un riche a aussi peu de chance d'entrer au paradis qu'un chameau de passer par le chas d'une aiguille n'est pas une condamnation de la richesse. Il souligne seulement l'absence de valeur spirituelle de l'argent. L'argent n'est pas la clé du paradis.

Les magiciens ont toujours enseigné que le désir devait s'envisager comme un chemin. Les désirs visent d'abord le plaisir, la postérité ou le pouvoir. Mais ces buts cessent peu à peu de combler son attente. Non qu'ils lui paraissent plus rudimentaires, mais ils s'usent. De même qu'un enfant qui grandit délaisse ses anciens jouets, le désir d'une volonté de plus en plus exigeante aboutit à une phase naturelle où le désir de Dieu devient primordial.

« Ne t'inquiète pas de devenir un chercheur de Dieu, disait Merlin. Tu l'es depuis ta naissance, mais au début tu identifiais Dieu à tes jouets, puis à la reconnaissance de tes semblables, puis au sexe, à l'argent ou au pouvoir. Tout cela, tu l'as adoré et voulu avec une grande passion. Réjouis-toi de ces désirs quand ils expriment le présent, mais prépare-toi aussi à leur déclin. Le grand problème que tu devras affronter ne sera pas le désir mais l'attachement qui te retient alors que le courant de la vie t'entraîne en avant. »

L'exercice illustrant cette leçon est une pure

expérience de pensée. Asseyez-vous et imaginez ce que vous désirez le plus passionnément à cet instant précis. C'est peut-être une certaine voiture, une autre vie, une meilleure santé ou la réussite d'une relation. Efforcez-vous de choisir un objet de désir actuel afin de vraiment sentir sa force d'attraction.

Puis revenez à un désir ou à un souhait anciens qui se sont réalisés (votre dernière voiture, un projet qui a réussi, un gain d'argent...). Comparé à votre désir actuel, ce désir ancien semble différent. L'avidité de l'ancien désir ne sera pas la même parce qu'il est déjà satisfait. Dans cette comparaison vous éprouverez la force de la vie qui vous pousse en avant. La fringale du vieux désir s'est reportée sur le désir actuel. Cette évolution ne doit rien au hasard. Elle rythme la succession de vos désirs — ceux du nourrisson, de l'enfant, de l'adolescent, de l'adulte.

La voie du désir est incroyablement puissante, elle ne s'achève jamais. Seuls changent ses objets. Les magiciens assimilent nos désirs, à leur niveau le plus profond, à l'impulsion même de la vie, à son développement. La volonté de vivre ne se résume pas au seul instinct de survie — elle évolue constamment. La vie n'aime pas rester bloquée, c'est la raison pour laquelle Merlin disait que les problèmes surgissent seulement quand le désir est contrarié. Un enfant sain apprend que tout ce qu'il veut est bon pourvu que sa mère soit contente de satisfaire ses besoins.

Si un modèle positif du désir est inculqué

assez tôt au nourrisson, il grandira avec des désirs naturels correspondant à ses vrais besoins. Une personne psychologiquement saine peut d'ailleurs être définie comme quelqu'un que ses désirs rendent heureuse. Mais si l'on inculque la notion contraire au nourrisson, à savoir que ses désirs sont honteux, et s'ils suscitent une réaction négative, le désir ne se développera pas bien. Plus tard, l'adulte continuera à rechercher son épanouissement dans les apparences extérieures, exigera de plus en plus de pouvoir, d'argent ou de sexe pour combler le vide formé dans son intériorité depuis sa petite enfance. Le sens même de la vie de cet être aura été faussé par la réprobation de ses parents.

Dans certains cas, le désir est tellement faussé qu'il se transforme en pulsion agressive, besoin de voler, de tuer, etc.

Ces désirs peuvent causer un dommage invisible, aussi bien sur le plan personnel que social. Pourtant personne ne sait, en voyant un assassin ou un voleur, à quel moment ses valeurs se sont dévoyées. Pour un magicien, tous les désirs commencent au même moment, à ce point où la vie cherche simplement à s'exprimer elle-même. C'est l'obstruction ou la condamnation du désir qui créent les problèmes. Ses expressions malsaines reflètent seulement le déséquilibre d'une psyché qui cherche désespérément à se connaître elle-même, exactement comme nous le faisons tous, mais a échoué — au moins jusqu'à maintenant.

C'est pourquoi il est crucial d'affronter la nature de vos désirs, de comprendre que le projet de Dieu est de réaliser chacun d'entre eux. Dieu ne vous empêche nullement d'obtenir tout ce que vous voulez, quel que soit votre désir. Vous seul vous en jugez parfois indigne. De tels jugements spontanés refrènent la tendance naturelle de la vie mais, une fois ces obstacles supprimés, la voie du désir redevient une joie, parce qu'elle est le chemin le plus court et le plus naturel vers Dieu. Aucun désir n'est trivial, car tout désir a une signification spirituelle. Chacun d'eux est un petit pas en avant vers le jour où vous en arriverez au plus haut épanouissement : connaître votre nature divine.

Leçon 20

*Le plus grand bien que vous puissiez faire
au monde est de devenir un magicien.*

C'était le dernier jour qu'ils devaient passer ensemble. Arthur se tenait au bord de la route qui menait hors de la forêt. En regardant par-dessus son épaule, il chercha la clairière de Merlin, mais elle avait disparu. Des bois touffus avaient poussé pendant la nuit, la recouvrant, et avec elle l'entrée de la grotte de cristal. Arthur eut un pincement au cœur, car il savait ce que signifiait cette perte non seulement pour lui mais pour tous les mortels.

— Je ne reviendrai pas, n'est-ce pas? demanda-t-il.

Merlin, debout à côté de lui, secoua la tête.

— Tu n'en auras pas besoin. Tu en as fini avec moi.

Je n'en aurai probablement jamais fini avec toi, pensa Arthur. Les questions se pressaient en lui, après toutes ces années d'apprentissage, plus nombreuses encore qu'au premier jour. Déchiffrant ses pensées, le magicien ajouta :

— Je voulais te donner un cadeau d'adieu et c'est le plus beau auquel j'ai pensé.

Il montra la route, également apparue pendant la nuit.

— Les routes sont le symbole du magicien. Le savais-tu?

— Non.

— Alors rappelle-toi ce que je dis. Un magicien enseigne en s'éloignant et, quand tu seras capable de t'éloigner, tu deviendras un magicien. Bien que tu t'imagines posséder une parcelle de cette terre, en fait tout au plus marches-tu sur elle. En esprit, tu es la poussière qu'un vent impatient emporte sur son chemin. Vous autres mortels bâtissez des maisons pour vous protéger du monde. Mais la maison d'un magicien est cet instant et les instants avancent sans cesse...

— ... Sur la route du temps, ajouta Arthur, finissant la phrase à sa place.

Il connaissait par cœur bien des aphorismes préférés de Merlin.

— Oui, acquiesça Merlin.

Ils gardèrent tous deux le silence. Arthur regardait Merlin du coin de l'œil, guettant une tristesse éventuelle ou au moins une préoccupation devant leur séparation. Il ne remarqua rien de tel.

— Je vois que tu ne me crois pas vraiment, déclara Merlin, mais t'éloigner de moi est vraiment le plus grand présent que je puisse te faire.

Sur ce, le jeune garçon se mit en marche à contrecœur. La route tournait à une centaine de mètres de là et Arthur avait l'impression que chaque pas vers ce virage le changeait un peu plus. Les années qu'il avait passées avec Merlin commencèrent à se fondre dans un rêve, alors que sa curiosité envers le monde grandissait.

Au moment d'atteindre le virage, il lui tardait de connaître les paysages nouveaux où le mènerait cette route. Il allait découvrir un monde d'actions et de désirs encore inconnus, et ses pieds volaient, tant il avait hâte de quitter la forêt. L'image même de Merlin s'effaça presque de son esprit, à l'exception d'une voix ténue qui lui murmurait : « Je t'ai conduit dans les replis secrets de ton âme, maintenant tu dois les retrouver par toi-même, seul, cette fois. » Un instant après, la voix aussi avait disparu. L'enfant dépassa le virage, souleva un nuage de poussière d'un coup de pied et sourit. Il venait de comprendre que, chaque fois qu'il verrait une route, il penserait à Merlin.

Comprendre la leçon

Marcher sur une route est un signe de détachement et, selon les magiciens, la liberté authentique réside dans le détachement. Une personne libre vit en esprit, exactement comme un magicien ; elle est capable de faire beaucoup plus de bien qu'on ne peut en faire en dehors de l'esprit. Ce point de vue n'est pas encore adopté par la société, parce qu'on a inculqué à chacun de nous de tout autres croyances sur ce point. Nous sommes attachés à tout et prenons cet attachement pour le moteur de notre vie.

Notre sens de l'attachement commence par notre relation à cette terre. Selon les magiciens, les mortels sont victimes de l'illusion qu'ils possèdent le monde ou contrôlent son destin. Aux yeux des magiciens, l'esprit du monde veille sur notre bien-être. Nous trouvons refuge dans son esprit qui nous permet de modeler notre propre destin. Mais l'esprit ne peut jamais être possédé ni contrôlé.

— Tu veux posséder le monde entier, n'est-ce pas? demanda Merlin à Arthur.

— Non, je ne crois pas, répondit l'enfant.

— Oh! mais si, crois-moi. Vous autres mortels êtes comme des étincelles qui un jour mettent le feu à un champ tout entier. L'étincelle semble minuscule, mais elle a tôt fait de déclencher un incendie.

— Veux-tu dire que nous détruirons le monde? demanda Arthur.

— Cela dépend. L'esprit ne peut être détruit et, si tu parviens à te considérer toi-même comme esprit, tu t'uniras avec l'esprit de cette terre. Tu peux également ignorer l'esprit et si tu choisis ce chemin tu n'auras aucun respect pour la terre. Sa douleur te paraîtra étrangère.

Merlin désigna un gros rocher.

— Donne-lui un coup de pied, dit-il.

Arthur obtempéra.

— Aïe! s'écria-t-il en grimaçant de douleur.

— Étrange, commenta Merlin. C'est le rocher qui a reçu le coup de pied, mais c'est toi qui cries.

— Qu'y-a-t-il d'étrange à cela? rouspéta Arthur, soupçonnant presque Merlin de l'avoir fait taper dans le rocher plus fort que prévu.

— C'est une leçon sur l'esprit. Quand tu as

heurté le rocher, tu t'es blessé toi-même. Le rocher n'a pas protesté parce que la terre ne proteste jamais. Elle est invulnérable en esprit. La terre enseigne aux mortels l'invulnérabilité de l'esprit. Mais si ta blessure te rend furieux, alors que le rocher s'est contenté de te la rendre, tu seras tenté d'ignorer l'esprit. Tu voudras briser le rocher, le détruire et le réduire à ta merci, uniquement parce que la terre est assez gentille pour ne pas crier quand tu la frappes.

Il est dans la nature de l'esprit de ne pas protester. On ne peut meurtrir l'esprit et, bien que les humains aient affreusement endommagé la terre, c'est toujours nous-même que nous blessons finalement. Les hommes ne respectent pas leur propre esprit. Ils se considèrent eux-mêmes avec peur et colère.

« Vous avez perdu la foi dans la foi, vous semblez démunis de confiance », disait Merlin. Cela signifie que nous devons connaître et éprouver les qualités de l'esprit, l'amour, la foi et la confiance pour pouvoir faire un bien quelconque.

La plupart des gens combattent leur propre volonté. Ils cèdent à la peur et à la colère parce qu'ils se sentent contraints d'emprunter ces chemins. La volonté de vivre en paix suppose le rejet de ces énergies négatives et implique de suivre la voie du magicien. « Si tu veux faire du bien au monde, renonce complètement à ton égoïsme et deviens un magicien, disait Merlin. Si tu veux te faire du bien à toi-même, sois complètement égoïste et deviens également un magicien. » Cela peut paraître un paradoxe, mais en fin de compte tout esprit est esprit. Vous n'êtes pas seulement sur terre en tant qu'individu, mais aussi en tant que parcelle de cette terre. Par conséquent, en vous retrouvant vous-même, c'est le monde que vous retrouvez.

Vivre avec la leçon

Les magiciens ne découragent pas de faire le bien. Leur détachement ne se réduit pas à de l'indifférence.

« Quand tu rencontres la souffrance, approche-toi et soulage-la, disait Merlin, mais assure-toi que tu n'emportes pas cette souffrance avec toi. » Ce conseil vise la compassion. Étymologiquement, compassion signifie « souffrir avec » et c'est bien ainsi que la plupart d'entre nous comprenons ce terme. Nous supposons qu'une personne compatissante a pris sur elle la souffrance d'autrui mais, si c'était vrai, la compassion multiplierait la souffrance du monde au lieu de la soulager.

La vraie compassion n'est pas négative. On est capable de ressentir la douleur d'autrui tout en restant intact en esprit. C'est ainsi que la terre se comporte envers nous. Bien que le drame de l'histoire des hommes se joue sur la scène terrestre, avec ses conflits sanglants et ses réalisations audacieuses, la terre est détachée. Les forêts, les champs, les plages et les montagnes existent indépendamment de nous.

Si vous repoussez la notion d'esprit de la terre, vous assimilerez ce détachement à de l'indifférence. Au nom de l'indifférence, la terre est pillée. La compassion envers elle impose l'union de votre esprit avec le sien.

Comment réaliser cette union avec l'esprit de la terre ? Ce livre s'efforce de fournir une réponse à cette question. La voie du magicien commence avec les mythes, tout au fond de la mémoire de l'humanité, quand elle balbutiait encore dans les forêts primitives. Merlin représentait alors un esprit de la nature doté de grands pouvoirs magiques. Aujourd'hui les esprits de la nature n'existent plus parce que les mortels ont décidé de divorcer d'avec la nature. À l'immémorial instinct d'harmonie avec elle s'est substitué son contraire, l'instinct de domination.

Le déchaînement de cet instinct nous a conduits à un quasi-désastre. Partout les hommes s'efforcent de se rapprocher de la nature, peut-être est-ce leur dernière chance. Les magiciens, qui ne se sont jamais séparés de la nature, n'ont pas à s'en rapprocher. Ils attendent notre conversion à l'esprit pour nous accueillir. Leur enseignement montre que, pour s'unir à la nature, l'humanité doit retrouver son identité profonde : la conscience pure. Il n'y a rien « à l'extérieur » sauf le miroir de ce qui est « à l'intérieur ».

Si vous voulez entrer « chez vous », comprenez que ce foyer est l'instant présent. L'instant présent contient toute la puissance, tout l'épanouissement auxquels aspirent les hommes. Le « maintenant » renferme une énergie dont la puissance défie l'imagination humaine. Rien n'est plus proche mais rien ne se dérobe plus vite : tels sont le mystère et le paradoxe. Pour les résoudre admettez que *vous êtes ce moment*. Toute la puissance disponible est contenue en vous.

Tantôt nous débordons tous d'énergie, d'excitation et d'optimisme, tantôt nous cédons à la fatigue, à la confusion et au pessimisme. Quelle est la cause de cette oscillation ? Selon certains, la réponse résiderait dans les cycles du métabolisme ou dans le jeu de forces irrationnelles, le destin, voire la chance. Pour les magiciens, la réponse se trouve dans votre aptitude à être présent. Présent à ce moment, vous touchez la source de la vie. Le temps lui-même s'écoule de ce moment et d'aucun autre. Par conséquent, si vous voulez chevaucher la crête du temps, vous avez besoin de toute l'énergie possible, et cette énergie est contenue dans l'instant présent.

Comment ne pas s'émerveiller de la fugacité de l'instant présent ? Voici un exercice simple qui vous permettra d'éprouver par vous-même cette fugacité. Asseyez-vous un instant et examinez le fonctionnement de votre mémoire. Quand vous voyez le visage de quelqu'un dont vous êtes incapable de vous rappeler le nom, que faites-vous ? Si vous luttez pour vous souvenir, cet effort même semble neutraliser toute réminiscence. Mais nous avons tous fait l'expérience d'un nom ou d'un fait oubliés qui nous reviennent soudain alors que nous n'essayons pas du tout de nous les rappeler. Le simple fait de se laisser aller semble augmenter la puissance de la mémoire.

Le désir fonctionne de la même façon, bien que peu de gens en soient conscients. Nous sommes tous en proie à différents désirs et nous succombons facilement à la tentation pernicieuse de travailler, de nous tracasser, de lutter constamment pour obtenir ce que nous voulons. Pourtant les magiciens affirment qu'il suffit de laisser aller les choses — la mécanique du désir opère toute seule. Avez-vous remarqué à quel point l'oubli, ce phénomène mystérieux, est une notion relative ? Combien de souvenirs « oubliés » nous reviennent en mémoire un jour ou l'autre ? Votre esprit conscient ne peut vous forcer à vous souvenir, mais l'esprit est tout à fait capable de retrouver tout ce qu'il a enregistré.

D'une manière très similaire, votre esprit conscient n'a pas accès au mystère de la réalisation par l'univers des désirs humains. Et, tout comme celui qui s'efforce de se rappeler un nom sans succès, les gens se bagarrent frénétiquement pour accomplir leurs désirs, sans s'apercevoir que cet acharnement est précisément le problème et non la solution. Nous avons déjà évoqué ces points plus haut, mais je souhaiterais les réexaminer plus en profondeur. À ce moment précis vous êtes devenu un magicien. Vous êtes au faîte de votre spiritualité. Vous ne vous êtes jamais séparé de Dieu ou de la nature. Pourtant, dans votre lutte pour ne pas ressentir de douleur, vous avez commencé à bloquer le moment présent. La mémoire et le désir obscurcissent l'esprit. Il en est ainsi parce que autrefois vous avez commencé à craindre pour votre sécurité, ici-bas, sur terre. L'insécurité est la raison pour laquelle on a agressé la terre car, si nous avions confiance en elle pour nous nourrir et nous soutenir, aucun de nous ne serait si paniqué par les difficultés de survie.

« Confiance dans la confiance, ayez foi en la foi, disait Merlin, c'est la seule solution quand on a perdu la confiance et la foi. » Au fond de nos cœurs, nous ne sommes rien d'autre que confiance. L'existence et l'amour font aussi partie intégrante de nous-même, mais c'est la confiance qui nous donne une respiration libre et nous unit à l'esprit de la terre. La technique pour s'en souvenir est toute simple : cessez de croire que la lutte est une bonne réponse. Appréciez en silence chaque instant de vie qui vient à votre rencontre. Avec cette acceptation silencieuse viendra l'énergie formidable que recèle le présent, et cette énergie renferme abondance, paix, intelligence et créativité. Toutes ces qualités sont les dons silencieux de l'esprit de la terre.

TROISIÈME PARTIE

LES SEPT ÉTAPES
DE L'ALCHIMIE

À l'époque du roi Arthur, aucune quête n'a suscité autant de passion que la recherche du Graal. Tous les vassaux d'Arthur rêvaient de s'emparer de ce trophée inaccessible, qui devait assurer à leur roi la protection et la bénédiction de Dieu. On ne comptait plus les chevaliers qui faisaient pénitence en attendant une vision du Graal et les peintres rivalisaient d'adresse pour composer la plus splendide version de la Cène.

« Il est presque impossible de convaincre les mortels que les quêtes ne concernent jamais les choses extérieures, quelle que soit leur sainteté », avait confié un jour Merlin à Arthur.

Celui-ci se rappelait ces paroles quand la fièvre du Graal s'emparait des chevaliers, en général pendant les longs et sombres mois d'hiver, quand l'ennui leur faisait perdre patience. Les plus jeunes, notamment, rongeaient leur frein en attendant de partir pour la Terre sainte, pour le château de Montsalvat ou pour n'importe quel endroit mythique ou réel pouvant abriter le Graal.

Le roi lui-même considérait cette ferveur avec réserve.

— Si vous voulez partir... disait-il d'une voix circonspecte.

— Quoi? ne crois-tu pas dans le Graal? demandait sire Kaï impétueusement.

Autrefois considéré comme le frère du roi, avant qu'Arthur arrache l'épée du rocher, Kaï prenait des libertés que personne d'autre ne s'autorisait.

— Croire? Je suppose qu'on peut dire que j'y crois, répondit tranquillement Arthur, mais pas de la manière que tu imagines, pas de la même manière que toi.

Cette réponse était trop subtile pour Kaï, qui se mordit la langue pour ne pas poser une question plus insolente.

— Le Graal est-il réel, messire? demanda Galaad sur un ton beaucoup plus amène.

— Ta question semble suggérer que je l'aurais vu, répondit Arthur.

— Je ne sais si je dois le croire moi-même, poursuivit Galaad, mais des rumeurs circulent.

— Quel genre de rumeurs?

— Concernant Merlin. On dit qu'il aurait lui-même rapporté le calice de la Terre sainte, où il était conservé depuis de longs siècles dans un endroit secret.

Arthur réfléchit quelques instants.

— Comme toutes les légendes, elle doit contenir une part de vérité.

Les courtisans s'exclamèrent, car c'était la première fois que le roi reconnaissait détenir des informations au sujet du trésor que tous convoitaient. Mais Arthur se garda d'ajouter quoi que ce soit.

Une nuit, au début du printemps, alors que le dégel commençait dans la campagne et que des jonquilles pas plus grandes que l'ongle fleurissaient parmi les roses de Noël fanées, on aperçut, des murailles du château, un feu au loin. Autour de celui-ci étaient assis sire Perceval et sire Galaad, qui s'étaient engagés à faire retraite ensemble. Il était trop tôt pour camper dans les bois environnants, où les dernières neiges de l'hiver s'étaient accumulées à l'ombre des arbres, et les deux chevaliers priaient et jeûnaient dans une petite tente que l'on apercevait depuis l'appartement du roi.

— J'ai jadis taxé mon rêve de m'emparer du Graal de caprice futile, commença Perceval. Tout chevalier veut être le premier des champions, mais j'ai tourné le dos à mon désir pendant des années, en le dénonçant comme un mirage de mon orgueil. Mais je te l'avoue, Galaad, mon âme se consume pour ce trésor.

— Le roi affirme que ce n'est pas un objet, lui rappela le chevalier plus jeune.

— Il affirme aussi que Merlin l'a rapporté en Angleterre. Tu l'as entendu toi-même, n'est-ce pas ?

La voix de Perceval était teintée d'une légère nuance de défi et Galaad se contenta d'acquiescer. Parfois la prière et la pénitence allument l'incendie plutôt que de l'éteindre, songea-t-il. Galaad devait se rendre à l'évidence : le désir grandissant de Perceval était aussi le sien.

— Si quelqu'un est destiné à découvrir le Graal, ce doit sûrement être l'un de nous, dit-il en jetant des branches sèches de noisetier dans le feu et en le regardant s'embraser. Nous sommes le seul groupe de chevaliers qui se consacre vraiment à protéger la paix et non à parcourir la campagne pour y semer la terreur. Je ne sais pas si mon cœur est assez pur pour remporter le Graal — je ne suis pas assez vain ou stupide pour penser qu'il doit me revenir — mais mon cœur saignera jusqu'à ce que j'aie essayé.

À ce moment les deux hommes entendirent la fine couche de glace recouvrant le sol craquer sous les pas d'un homme qui s'approchait. Ils dressèrent l'oreille, attendant que l'étranger s'identifie, quand ils entendirent une voix un brin moqueuse leur lancer :

— N'ayez crainte et accordez-moi votre hospitalité. J'ai besoin d'un bon feu, si vous avez l'amabilité de partager le vôtre.

Après avoir jeté un coup d'œil à Galaad, Perceval héla l'inconnu dans l'obscurité :

— Passez votre chemin et faites vous-même votre feu. Vous troublez la retraite de deux chevaliers qui doivent s'abstenir de tout contact avec les impuretés du monde pendant quelque temps.

Un rire moqueur lui répondit :

— Faire moi-même mon feu ? C'est ce que je vais faire.

Avant qu'il eût fini de parler, le sol s'embrasait sous les pieds de Perceval, qui bondit d'effroi. Galaad jeta un regard stupéfait autour de lui et découvrit qu'un cercle de feu jailli du sol gelé les cernait. Avant même qu'il ait pu crier, une haute silhouette, décharnée comme un vieil arbre, traversa les flammes et se dressa en face d'eux.

— Merlin! s'exclama Galaad, en réprimant son émotion. Qu'est-ce qui t'amène ici après cette longue absence?

— Ce n'est pas ton insolent ami, répliqua Merlin en dévisageant Perceval, qui s'efforçait tant bien que mal de conserver un semblant de dignité malgré son dos brûlant. Assieds-toi donc.

Le magicien lui fit signe. La brûlure de Perceval s'apaisa et il s'assit à côté de Galaad, face à Merlin. Aucun des deux ne l'avait jamais rencontré auparavant, mais la description d'Arthur avait été assez précise, mentionnant même les chausses noires éculées en velours brodé.

— Ne me regarde pas, dit Merlin. Je pense.

— À quoi? demanda Perceval.

— Et ne m'interromps pas, répondit sèchement le magicien.

Après quelques instants, son expression assez renfrognée se radoucit.

— Oui, je crois que vous dites la vérité. La seule question est de savoir que faire à ce sujet.

— La vérité à propos du Graal? demanda Galaad. Nous sommes bien résolus à poursuivre notre quête.

Merlin lui jeta un coup d'œil approbateur.

— Tu m'as reconnu sans vaines présentations et tu arrives presque à lire dans mon esprit. Très prometteur! déclara Merlin.

Avec sa modestie naturelle, Galaad baissa les yeux en espérant que Perceval ne lui envierait pas cet éloge inattendu.

— Ton roi a parlé justement, tu sais, dit Merlin. Le Graal n'est pas un objet que l'on poursuit à cheval comme un vulgaire renard. Il ne renferme ni or ni diamants, et nul n'a donc intérêt à le cacher. Enfin, sa possession n'assure nullement la bénédiction divine, pas plus que sa non-possession.

Perceval, qui s'agitait de plus en plus, le coupa finalement :

— Comment peux-tu affirmer cela? Le Graal *doit* conférer la bénédiction divine.

Merlin l'arrêta d'un regard sévère.

— Mon cher rustre, si le monde entier est une création de Dieu, alors comment la moindre parcelle de ce monde, si éloignée, minime ou insignifiante soit-elle, pourrait-elle être moins bénie qu'une autre?

— Mais le Graal existe bien, n'est-ce pas? demanda Galaad. Le roi nous a affirmé que tu es son gardien.

Merlin acquiesça.

— Je protège ce qui n'exige nulle protection, je conduis une quête qui ne peut vous mener nulle part et, à la fin, je serai là quand vous trouverez le Graal, mais vous ne verrez ni lui ni moi.

Merlin, l'air très satisfait de cette énigme,

souffla tranquillement une bouffée de fumée comme si le tabac avait déjà été découvert.

Perceval se leva soudain.

— Eh bien, si je suis un rustre, permettez-moi de prendre congé.

Merlin adopta un ton plus amène.

— Tu es ce que tu es, ce qui semble suffisant aux yeux de Dieu, et assez rare en ce monde désespéré, marmonna-t-il. Rassieds-toi, s'il te plaît.

Perceval déféra à cette courtoise demande, non sans une certaine maussaderie. Merlin poursuivit :

— Je ne suis pas tombé sur votre feu par hasard. Je suis ici pour vous conduire au Graal. Il est une règle immuable : quand l'élève est prêt, le maître apparaît. Je puis vous apprendre ce que vous désirez savoir. Mes remarques de tout à l'heure n'étaient ni grossières ni mystérieuses. Je veux simplement purger vos esprits de toutes les chimères concernant le Graal.

D'un geste de la main, Merlin réduisit l'anneau de feu à un pâle rougeoiement de braises et l'on ne discerna bientôt plus ses traits. Les deux chevaliers distinguaient une longue silhouette couronnée de cheveux blancs éclairés par la lumière de la lune qui se levait.

— La quête dont le Graal est le trophée n'a rien du voyage que les chevaliers ignorants brûlent d'entreprendre. C'est un voyage intérieur, la recherche d'une métamorphose. Avez-vous tous deux entendu parler de la science appelée alchimie ?

Perceval et Galaad acquiescèrent. Leurs silhouettes se détachaient dans l'obscurité.

— L'alchimie est l'art de la transformation, poursuivit Merlin, et, quand ses sept étapes seront franchies, alors, et seulement alors, vous serez capables d'invoquer le Graal.

— Sept étapes ? demanda Perceval. Mais alors le Graal est fait d'or puisque je sais que les alchimistes...

— Fadaises et billevesées. Tu en sais fort peu — sinon rien — sur cet art, bien que tu l'aies pratiqué tous les jours depuis ta naissance, répondit Merlin. Tout nourrisson naît alchimiste, puis perd son art pour le réapprendre plus tard.

Perceval comprit que le magicien recourrait à des énigmes s'il persistait à douter de ses dires, il se rassit donc tranquillement et écouta. Merlin poursuivit :

— Le plus grand gâchis de l'existence est spirituel. Chaque mortel est venu sur terre pour chercher le Graal. Chacun a reçu les mêmes dons. Les magiciens savent que tous les hommes sont créés pour atteindre la liberté et l'épanouissement.

— Ne suis-je pas déjà libre ? demanda Perceval.

— Dans le sens le plus simple, oui, puisque tu n'es pas prisonnier, mais le mot liberté a un sens plus profond : l'aptitude à faire tout ce que tu veux quand tu le veux, répondit Merlin. Et il existe même des niveaux plus profonds. Comme tu dois l'admettre, tu es toujours prisonnier du passé — tu es conditionné par des souvenirs qui gouvernent littéralement ta vie. Si tu te libérais du passé, tu pourrais accéder à d'infinies possibilités et briser les barrières du connu à tout moment. Le Graal n'est que la promesse visible qu'une telle perfection existe. Comprends-tu ?

Le magicien, entièrement absorbé par son sujet, n'attendit pas la réponse.

— J'ai mentionné les sept étapes de l'alchimie sur le chemin de la liberté et de l'épanouissement. La première étape commence à la naissance, les quelques étapes suivantes se succèdent pendant l'enfance, et les autres dépendent de vous. Dieu ne vous oublie jamais dans Ses projets mais, en grandissant, votre volonté et votre désir s'accroissent. En tant que nourrisson, vous étiez assez pur pour vous emparer du Graal, mais trop ignorant pour connaître son existence. En tant qu'adulte vous connaissez le but, mais le chemin qui y mène vous est fermé depuis longtemps. L'intervention de votre libre arbitre vous a fait perdre le Graal, mais c'est aussi grâce à lui que vous le retrouverez finalement.

Craignant que Perceval n'émette une objection, Galaad intervint promptement :

— Nous montreras-tu les sept étapes ?

Merlin acquiesça en souriant imperceptiblement.

Première étape : l'innocence

— Tu es né en état d'innocence. De tous les ingrédients qu'utilise l'alchimiste, celui-ci est le plus important. Un nouveau-né ne remet pas en question son existence ; sa vie est faite d'autoacceptation, de confiance et d'amour. La voix du doute ne s'est pas encore insinuée en lui. Quand tu regardes un nourrisson dans les yeux, tu y discernes très peu d'individualité. La question : qui suis-je ? n'a aucun sens pour un enfant. En revanche, son regard exprime la conscience pure, source de toute sagesse. Un nouveau-né est issu de la source même de toute vie dont il se détache progressivement. Il continue à vivre quelque temps dans l'intemporalité et n'a aucune notion du passé ni du futur ; seule existe la révélation du présent. Voilà ce que signifie vivre dans l'éternité, car qu'est-ce que l'éternel sinon le moment présent sans cesse renouvelé ? Le nourrisson jouit déjà de la promesse même du Graal — la vie immortelle —, car se projeter dans l'intemporel est le secret de l'immortalité.

— Si c'est vrai, déclara gravement Galaad, pourquoi ne sommes-nous pas tous immortels de naissance ?

— Hérédité et habitudes, répondit Merlin. Tous les nourrissons ont tendance à passer du monde intemporel au monde des heures, des jours et des années, du silence du monde intérieur à l'agitation du monde extérieur, de l'autocontemplation à l'observation de toutes les choses fascinantes qui l'entourent. Regarde un enfant pendant les premières semaines de sa vie. Tu pourras voir ce monde nouveau et surprenant dans lequel il se trouve capter progressivement son attention. C'est ainsi que commence l'alchimie, la perpétuelle succession de métamorphoses qui sous-tendra chaque respiration durant toutes les années à venir.

« Un bébé n'est pas un ange, sa pureté est de courte durée. Il ne tarde pas à ressentir les premiers tiraillements de colère et de peur, de méfiance et de doute. Quand le nourrisson quitte son état d'innocence, il pénètre dans un monde plus rude, plein de bosses et de bleus. Il éprouve des désirs qui ne sont pas immédiatement réalisés, il découvre la douleur. Les mortels appellent cela perdre la grâce, mais ils ont tort. La grâce continue d'opérer tout au long de l'existence, bien que la grossièreté de leur perception masque ce fait.

— Quel rapport cette triste histoire a-t-elle avec l'alchimie ? demanda Perceval, toujours sceptique.

— Une magie secrète, répliqua Merlin. Le bébé grandit, mais son innocence n'est pas réellement perdue. Ce qui arrive est plus mystérieux que cela. L'innocence demeure intacte, dans un état de pureté et d'intégrité qu'on a simplement oublié. La vie se fragmente. Pour toi, le monde est limité, ton sens du moi est prisonnier des expériences individuelles et des souvenirs accumulés. En oubliant l'intégrité, tu sembles avoir perdu ton ancienne identité, mais ce n'est qu'une illusion. Tu n'as pas les mêmes sensations, les mêmes attitudes qu'un nourrisson, mais son essence t'accompagne toujours. En réalité, l'intégrité ne peut se fragmenter, la vérité ne peut être abîmée par la fausseté. Ta perte d'innocence fut un véritable événement mais n'est pourtant qu'une illusion.

Les forces de l'alchimie restent à l'œuvre derrière tout ce que tu vois, entends et touches.

— Comment puis-je savoir que cette innocence est vraiment là ? demanda Galaad.

— Si tu désires retrouver ton innocence intérieure, cherche les caractéristiques de l'enfant : la vivacité, la curiosité, le sens de l'émerveillement, la sûreté de celui qui se sait désiré, le sentiment de vivre dans la paix absolue de l'intemporel. Tous les bébés éprouvent ces sentiments.

Deuxième étape : la naissance de l'ego

Merlin poursuivit :

— L'étape suivante est marquée par l'entrée en scène de l'ego, le sentiment du « Je ». Pour posséder un « Je » tu dois également posséder le « toi » ou le « ça ». La naissance de l'ego coïncide avec celle de la dualité. Elle inaugure le jeu des contraires, des oppositions. Chaque nouvelle étape dans l'alchimie bouleverse l'étape précédente, transformant ton vieux monde de fond en comble, mais cette révolution-ci est peut-être la plus terrible : tu n'es plus un Dieu ! Imaginez un être qui se sent tout-puissant en ce monde. Où qu'il regarde, il n'aperçoit qu'un reflet de lui-même. Soudain, il commence à entrevoir les choses et les gens comme des créations séparées. Aucun de vous ne se rappelle ce désastre parce qu'il appartient à une époque trop reculée de l'enfance. Ce fut pourtant un changement radical, une nouvelle naissance. Vous étiez heureux comme un Dieu et vous êtes entré dans la mortalité.

— Ce fut également une naissance douloureuse, dit Perceval. Cette étape était-elle absolument nécessaire ?

— Oh! oui. Hérédité et habitudes, t'ai-je dit. Quand le monde extérieur sollicite la curiosité d'un nourrisson, que voit-il ? D'abord le visage de sa mère. Selon la volonté de la nature, un bébé identifiera spontanément sa mère à une source d'amour et de nourriture. Mais cette source se trouve *en dehors du bébé lui-même*. C'est un choc car, quelle que soit la perfection de l'amour maternel, ce n'est plus l'amour de soi, et pendant de nombreuses années vous vous lamenterez sur la perte de l'amour parfait, pour comprendre finalement que vous êtes nostalgique de votre moi primitif.

« Au début la séparation n'existait pas. Quand le bébé touchait la poitrine maternelle, son lit ou un mur, tout cela semblait appartenir à une même entité, sans division. Assez vite, cependant, il en vient à comprendre qu'il existe quelque chose d'autre que lui — le monde extérieur. L'ego distingue : « C'est moi, ce n'est pas moi. » Certaines choses sont graduellement identifiées avec « moi » — ma maman, mes jouets, ma faim, ma douleur, mon lit. Ces préférences impliquent aussi un monde séparé de moi — ni ma mère, ni mes jouets, etc.

— Je ne parviens pas à me rappeler cette naissance, comme tu l'appelles, mais si ce que tu dis est vrai, ce doit être à ce moment qu'a débuté la quête du Graal. Quand commencerait-elle sinon après une séparation ? remarqua Perceval.

— En effet, aussi longtemps que tu t'es senti toi-même divin, tu n'avais nul besoin d'une quête pour regagner la bénédiction de Dieu, approuva Merlin. Après la séparation tu as commencé à te chercher toi-même dans les choses et les événements. Tu as perdu ton aptitude à te considérer comme la vraie source de tout ce qui est. Car le bébé avait raison de se percevoir comme source de la vie. Quand tu as commencé à explorer le monde extérieur et à le trouver plein de choses fascinantes, tu as lié ton bonheur à ces choses. On appelle cette attitude relation à l'objet, laquelle vient remplacer la relation à soi qui caractérise le bébé.

— Et cette étape n'a pas été perdue quand l'enfant a continué à grandir? demanda Galaad.

— Rien n'est jamais perdu. La naissance de l'ego a engendré des sentiments qui t'accompagnent encore aujourd'hui : la peur de l'abandon, le besoin d'approbation, la possessivité, l'angoisse de la séparation, l'égocentrisme, l'apitoiement sur soi-même. Tu es devenu inséparable du monde, comme tu l'es encore à présent, parce que les satisfactions élémentaires d'un bébé ne te suffisaient plus. Mais ne te désespère pas, parce que derrière ces changements une force plus profonde était à l'œuvre.

Troisième étape : la naissance de l'homme d'action

— Une fois que l'ego est apparu, continua Merlin, le monde « extérieur » surgit et une nouvelle tendance s'affirme : le besoin d'entrer dans ce monde pour réaliser. Les premiers signes de ce changement sont balbutiants. Le bébé veut attraper les choses et les tenir ; il veut explorer par lui-même, en s'assurant toujours que sa mère n'est pas loin. Bientôt il désire marcher et commence à protester si elle l'en empêche. Ce désir d'évasion et d'exploration est d'abord timide. Mais peu à peu le même bébé qui aspirait à être tenu et protégé crie pour qu'on le laisse partir. C'est un instinct sain, car l'ego sait que l'inconnu est une source de peur. Si le bébé ne partait pas à la conquête du monde, il en aurait de plus en plus peur.

« Nous nous éloignons à présent du sentiment de paix, d'unité et de confiance qui prédominait à la naissance. L'ego commence à l'emporter sur l'esprit. Quand le bébé sonde son intériorité et cherche à se comprendre lui-même, il n'y trouve plus la conscience pure mais le tourbillon des souvenirs. Les expériences deviennent singulières, il n'est plus possible de les partager entièrement.

— Encore une histoire triste, se lamenta Perceval.

— Si elle s'arrêtait ici, oui, admit Merlin, mais la naissance de l'homme d'action vous a donné de l'assurance et un sentiment de singularité. Ce monde d'objets et d'événements accroît l'individualisation. L'ego en est la condition, du moins sur la voie que vous autres mortels avez choisie.

— Tous ne deviennent pas des hommes d'action. Est-ce une étape nécessaire? demanda Galaad.

— Tous les mortels ne placent pas le succès au-dessus de tout, certains ne l'identifient pas avec l'argent, le travail ou le statut social, expliqua Merlin. Mais le besoin de l'homme d'action est plus simple, plus élémentaire. Il s'incarne dans l'ego en action, se prouvant ainsi à lui-même que la séparation est supportable. La naissance de l'homme d'action inaugure un monde joyeux rempli de choses à faire et à apprendre. Chez certains êtres, l'homme d'action durera très longtemps. La soif de gloire et d'argent submergera le véritable objet de la quête. Mais Dieu a doté les hommes d'une volonté totalement libre, et si quelqu'un décide que le monde « extérieur » est plus important que lui-même, ce choix entraîne forcément un désir acharné de gloire et d'argent.

« Aux yeux du magicien, l'ego n'offre aucune possibilité d'épanouissement. Il est volonté de maîtrise sans amour. « Écoute-moi, dit-il, et empare-toi de tout ce que tu pourras arracher. C'est la voie du bonheur. » Tous les mortels suivent ce conseil durant quelque temps. Ce n'est d'ailleurs pas mauvais du point de vue de Dieu, dont la confiance dans le libre arbitre humain montre la sagesse souveraine.

« Inutile de vous dire que cette troisième étape est inscrite en vous car, aussi longtemps que dure l'ego, l'homme d'action prime. Ses appétits ne sont jamais satisfaits. Le nombre d'expériences que l'on peut faire est illimité, le monde est d'une infinie diversité. Mais au fur et à mesure qu'il croît, l'ego étouffe l'esprit sous une série de choses — la fortune, le pouvoir, l'image de soi —, jusqu'à ce qu'une petite voix commence à s'étonner : « Où est l'amour ? Où est l'existence ? » La quatrième étape, une nouvelle naissance, peut alors commencer.

Quatrième étape : la naissance du « donateur »

Merlin poursuivit :

— Vient le moment où l'ego bute contre une nouvelle découverte — le bonheur ne réside pas seulement dans le fait de recevoir mais aussi dans l'acte du don. Cette découverte est capitale, car elle délivre l'ego de toutes sortes de peurs : la peur de l'isolement auquel peut conduire un égocentrisme total ; la peur de la perte, qui surgit parce qu'on ne peut pas toujours tout conserver. La peur des ennemis, ceux qui veulent vous prendre ce que vous possédez.

« En devenant un "donateur", l'ego surmonte au moins partiellement ces peurs. Un problème permanent est ainsi résolu. Mais un mouvement plus profond est à l'œuvre. Donner met en relation deux personnes, le donateur et le destinataire. Cette relation engendre un nouveau sentiment d'appartenance, non l'appartenance passive du nourrisson qui appartient forcément à sa mère, mais l'appartenance active de quelqu'un qui réussit à créer du bonheur.

« Donner est un acte créatif qui modifie complètement les perspectives de l'ego. Avant la naissance du "donateur", l'essentiel est de se protéger contre la perte, à savoir la perte d'argent et de ce qui nous appartient, mais aussi la perte de l'image de soi, la perte d'importance. L'enfant se sépare désormais librement de quelque chose sans le *ressentir* comme une perte. Au contraire, l'ego y prend du plaisir. Sentiment d'autant plus surprenant qu'il ne ressemble pas du tout au plaisir de prendre.

Galaad eut l'air songeur.

— L'amour est entré dans son cœur, voilà la différence.

— Oui, répondit Merlin. Tant que l'ego poursuit son intérêt particulier, il n'éprouve pas d'amour. Il peut ressentir un immense plaisir, de l'autosatisfaction ou de l'attachement. On appelle parfois ces sentiments amour, mais l'amour est par nature désintéressé et un acte désintéressé est nécessaire pour susciter l'amour — donner ne se réduit pas à donner de l'argent ou des cadeaux à autrui. Il y a aussi le service rendu où l'on se donne soi-même et le dévouement, le don d'amour à l'état pur.

« Pour toutes ces raisons, la naissance du "donateur" s'accompagne d'un sentiment de nouveauté et de libération. Bien que ce soit toujours l'ego qui domine, il a commencé à regarder vers l'extérieur. La plupart des gens apprennent le plaisir de donner dans leur petite enfance ; la plupart des parents apprennent à leurs enfants le partage avec les autres enfants.

Pourtant la vraie naissance du « donateur » peut ne survenir que beaucoup plus tard. Tant que vous donnez parce qu'on vous l'impose, ou parce que vous pensez que c'est le bon choix, vous ne ressentez pas le plaisir profond du don. Celui-ci doit être spontané, il doit être la conséquence d'un choix et non d'une obligation.

— Quand on commence à donner, est-ce le signe que l'ego est en train de mourir ? demanda Perceval.

Merlin fronça les sourcils.

— Dans l'alchimie, la mort n'existe pas. L'obtention du Graal n'implique aucune mort. Cette vieille idée de mort de l'ego suppose que Dieu réprouve une partie de vous-même.

— Mais tu viens de dire que l'ego est contrôle et absence d'amour, est-ce Dieu qui nous a voulus ainsi ? objecta Perceval.

— La volonté de Dieu est que tu te trouves toi-même, répondit Merlin. Tu n'es pas seulement destiné à atteindre un certain but. Si tu veux explorer ce que signifie être égoïste, ignorant, assassin ou totalement incroyant, Dieu te permettra toutes ces expériences. Pourquoi ne le ferait-Il pas ? Dieu ne te juge pas, aucune de tes actions n'est bonne ni mauvaise à Ses yeux.

— Mais c'est choquant, protesta Galaad, affirmes-tu que cela revient au même d'être un assassin ou un saint ?

— Cela revient au même si le pécheur et le saint ne sont que des masques de circonstance, répondit Merlin. Le saint dans cette vie sera peut-être un assassin dans une autre vie, et le pécheur d'aujourd'hui deviendra peut-être un saint demain. Tous ces rôles sont des illusions aux yeux de Dieu. Je ne prétends pas t'imposer cette vision des choses. Mais tu m'as demandé de te guider et je dois te montrer ce qui t'attend sur cette voie.

Cinquième étape : la naissance du chercheur

— Pendant longtemps l'ego a imposé sa loi, poursuivit Merlin. La question : qu'est-ce qui est bon pour moi ? l'a emporté sur toute autre considération ; le point de vue individuel limité semblait le seul vrai. C'est tout naturel. Comme je le disais tout à l'heure, ce monde relatif a un objectif : vous apprendre à devenir un individu. Mais l'individualité commence peu à peu à s'ouvrir et à élargir son horizon. On pourrait imaginer qu'à cause du libre arbitre les êtres humains soient tentés de se réfugier dans un égoïsme croissant. Si l'ego incapable d'aimer avait le dernier mot, peut-être serait-ce votre destin mais l'alchimie œuvre à votre insu, elle se fraie dans l'âme d'invisibles passages.

« Le moment venu, le "donateur" aborde l'étape suivante, la naissance du chercheur. Dans cette phase, les vieux soucis familiers de l'ego sont rejetés. Le sentiment du "Je" prend une place grandissante. L'être devient avide d'expériences spirituelles, il pressent une source d'amour et d'épanouissement avec laquelle l'amour d'autrui, si intense soit-il, ne saurait rivaliser. Il éprouve cette métamorphose comme un nouveau choc. Le "donateur" est l'altruisme personnifié. Il commence par donner à sa famille et à ses amis exclusivement puis à des œuvres ou à la collectivité, mais l'esprit du don finit par rechercher un exutoire plus vaste qu'autrui.

« Peut-on se consacrer à tous les autres dans le monde ? Cette question nous mène aux limites des possibilités individuelles ; seul un saint peut y répondre. Il est donc naturel que l'étape du don suscite des questions auxquelles elle ne peut répondre et prépare le chemin d'une nouvelle naissance. Le "donateur" qui voulait se consacrer au monde découvre à présent que celui-ci a cessé d'être une source d'épanouissement. Ce qui nous procurait du plaisir nous paraît insipide ; le besoin d'approbation et la vanité de l'ego, notamment, n'apportent plus les mêmes satisfactions qu'auparavant. L'être humain découvre la soif du visage de Dieu, d'une vie lumineuse ; il aspire à explorer le silence de la conscience pure. L'élan du chercheur peut prendre des formes très variées.

Mais tous les chercheurs estiment le monde matériel incapable de répondre à leurs aspirations. Pourquoi cela ? Dieu n'est-il pas partout, l'esprit n'habite-t-il pas le plus infime grain de sable ? Oui et non. Dieu est peut-être partout, mais cela ne vous apporte rien si vous êtes incapable de Le découvrir. Le chercheur cherche pour parvenir à voir.

— Il me semble que la quête du Graal commence à ce stade, dit Galaad.

— Pour quelques mortels, en effet, c'est alors que le Graal devient le symbole d'un profond besoin intérieur, répondit Merlin, mais chaque époque a été une quête, y compris la perte de l'innocence. Vous autres mortels êtes obsédés par la division de la réalité en bien et mal, saint et pécheur, sacré et impie, alors que la vie est entièrement divine. Une aspiration unique la fait avancer, celle de posséder un savoir parfait et de parvenir à la plénitude.

« Tu as pourtant raison en un sens. Avec la naissance du chercheur, nous pouvons mettre un nom pour la première fois sur un désir resté jusqu'à maintenant indéfini. Peu importe que ce nom soit Dieu, le Graal, l'Être divin ou l'Esprit. Ils désignent tous un besoin profond et nouveau d'échapper aux limites spatio-temporelles : ton essence est illimitée. Tu es destiné à une vie universelle. Le monde semble limité par le temps et l'espace, mais ce n'est qu'une apparence.

— Pourquoi sommes-nous le jouet des apparences ? demanda Perceval.

— L'univers ne te cache rien, répondit Merlin, il ne cherche pas à te tromper. Ce monde est une école, un terrain d'entraînement : c'est ce qui engendre l'illusion de la limite. Et la règle de base, ici, c'est que tu vois le monde comme tu te vois toi-même, quelle que soit cette perception. Si tu te considères toi-même comme imparfait ou indigne, ce jugement tiendra Dieu à distance. Tu prétends chercher Dieu, et tu t'obstines pourtant à t'offenser toi-même par ces jugements.

— Dieu reste donc hors d'atteinte, se lamenta Galaad, et la quête du Graal est sans fin.

Merlin lui jeta un regard bienveillant.

— L'esprit ne pourrait demeurer hors d'atteinte, même s'il le voulait, parce que tout est esprit. Nul lieu n'est vide d'esprit. Pour Sa part, Dieu n'a rien à te reprocher.

« Je poursuis mes explications au sujet du chercheur : c'est l'étape de l'alchimie, celle qui va engendrer le magicien, et c'est également l'étape à laquelle les mortels sont le moins bien préparés. Depuis ta naissance, tes désirs n'ont cessé de grandir. Le chercheur est simplement un être dont les désirs se sont dilatés au point que rien ne peut le satisfaire hormis une rencontre directe avec Dieu. Cette aspiration n'est pas "supérieure" à l'envie de jouets, d'argent, de gloire ou d'amour. Les jouets, l'argent, la gloire et l'amour *ont été* le visage de Dieu quand ils étaient les choses les plus importantes pour toi. Tout ce qui te semble susceptible de t'apporter la paix et l'épanouissement suprême est ta version de Dieu. En passant d'une phase à une autre, cependant, tu t'approches de plus en plus du but réel ; ton image de Dieu devient de plus en plus vraie, plus fidèle à Sa nature en tant que pur esprit. Mais toutes les étapes sont divines.

— Affirmes-tu que celui qui veut voler ou commettre un meurtre obéit à une impulsion divine ? Après tout, ce sont également des désirs, demanda Perceval.

— L'amour est universel, et ne prend donc pas parti, répliqua Merlin. L'ego peut s'en indigner. Il peut déclarer : « Je mérite l'amour de Dieu, mais tel autre, là-bas, ne le mérite pas. »

Tel n'est pas le point de vue de Dieu. Le voleur prive autrui de son bien. Le meurtrier prive autrui de sa vie. Tant que ces pertes te paraîtront réelles, tu condamneras évidemment la personne qui les cause. Mais le temps lui-même ne t'ôtera-t-il pas tes biens et ta vie, en fin de compte ? Le temps est-il aussi un meurtrier ? D'un certain point de vue, le crime est une illusion. Aucun péché ne saurait amoindrir, si peu que ce soit, l'amour de Dieu.

— Les chercheurs parviennent-ils forcément aux visions et aux expériences qu'ils désirent ? demanda Galaad.

— Notre façon de percevoir Dieu est conditionnée par nos opinions à Son sujet. Certains ont des visions de Dieu, d'autres L'identifient à une fleur. Il existe plusieurs espèces de chercheurs : certains aspirent à des interventions miraculeuses et rédemptrices, d'autres croient en une force invisible qui s'exprime dans les circonstances les plus profanes. Le chercheur est simplement motivé par une soif de transcendance. Ce qui ne signifie pas que l'étape antérieure du don soit caduque. Mais le don est désormais exempt de toute motivation égoïste, il est motivé par la compassion.

« Pour la première fois, la prétention de l'ego à l'omniscience et à la toute-puissance est mise en question. La naissance du chercheur peut donc être extrêmement agitée. Imaginez-vous comme un chariot emporté par un attelage de chevaux incontrôlé. Il n'y a plus eu de cocher depuis très longtemps et les chevaux ont fini par se croire seuls maîtres à bord. Puis, un jour, une petite voix, de l'intérieur du chariot, chuchote : "Stop." Au début, les chevaux n'entendent pas la voix, mais elle répète : "Stop." N'en croyant pas leurs oreilles, les chevaux s'emballent encore plus, juste pour se prouver qu'ils n'ont pas de maître. La voix intérieure ne s'impose pas par la force. Elle continue simplement à répéter : "Stop."

« C'est ce qui se produit dans ton for intérieur. Le chariot est ton moi tout entier ; les chevaux sont l'ego ; la voix dans le chariot est l'esprit. Quand l'esprit surgit, l'ego, tout d'abord, n'écoute pas, tant il est sûr de détenir le pouvoir absolu. Mais l'esprit dédaigne les démonstrations de pouvoir auxquelles est habitué l'ego. Celui-ci est habitué à rejeter les choses, à juger, à séparer et à prendre ce qu'il croit lui appartenir. L'esprit est simplement la calme voix de l'être affirmant ce qui est. À la naissance du chercheur, il est la voix que tu commences à percevoir, mais tu dois t'attendre à une violente réaction de l'ego, qui ne renoncera pas à son pouvoir sans combattre.

— Comment cette lutte peut-elle s'achever si l'esprit est dénué de pouvoir ? demanda Perceval.

— J'ai dit que l'esprit n'utilisait pas son pouvoir de la même manière que l'ego. Le moment venu, tu apprendras que l'esprit n'est rien d'autre que du pouvoir, un pouvoir d'une immense envergure. C'est un pouvoir d'organisation grâce auquel l'univers entier jusqu'au moindre atome conserve un équilibre parfait. Comparé à lui, le pouvoir de l'ego est dérisoirement limité et trivial. Cependant, cet accomplissement ne surviendra qu'après la capitulation de l'ego avec sa manie de contrôler, de prédire et de défendre. Son pouvoir se borne à ces trois fonctions. Si ton ego pouvait renoncer simultanément à tout cela, les étapes ultérieures ne seraient pas nécessaires — la naissance du chercheur serait suffisante. Ce n'est pourtant pas le cas. La voix de l'esprit annonce une réalité supérieure. S'élever jusqu'à cette réalité est un autre problème.

— Je serais enclin à penser que les chercheurs doivent être rares, vu la difficulté de la lutte, répondit Galaad. Ils doivent être nombreux à échouer et à perdre espoir. Est-ce la raison pour laquelle si peu sont destinés à connaître le Graal ?

— Chacun est destiné à atteindre le Graal, lui rappela Merlin. La raison pour laquelle les chercheurs semblent si rares relève surtout des apparences sociales. La recherche est une expérience totalement intérieure. On ne peut déduire, d'après les signes extérieurs, qui cherche ou ne cherche pas. La société ne décerne pas de distinctions ou de récompenses particulières pour le chercheur qui peut s'enfermer dans un isolement total et se retirer de la société ou continuer à occuper une position sociale importante.

— Comment un être peut-il savoir s'il est un chercheur ? demanda Perceval.

— Les repères intérieurs du chercheur sont les suivants : le don est motivé par un amour désintéressé et par une compassion qui n'attend rien en retour, pas même de la gratitude. L'intuition devient le sûr guide de nos actes et se substitue à la stricte rationalité. On perçoit par éclairs le monde immatériel et invisible comme une réalité supérieure — Dieu et l'immortalité sont pressentis par intermittence. Ces signes s'accompagnent d'un rapport plus satisfaisant à la solitude, d'une assurance qui remplace le besoin d'approbation sociale, de l'émotion que procure le simple fait d'exister et d'une confiance généreuse et spontanée. Les mécanismes de l'attachement commencent à s'estomper. La méditation et la prière deviennent quotidiennes. Bien que toutes ces manifestations spirituelles t'écartent du monde matériel, tu trouveras pourtant dans ce mode de vie un lien plus profond avec la nature, une relation de bien-être accru avec ton corps et un rapport plus tolérant aux autres. Cela parce que l'esprit n'est pas l'opposé de la matière. L'esprit est tout et son apparition dans ta vie signifiera une amélioration globale de celle-ci, y compris dans ses aspects conflictuels.

Sixième étape : la naissance du voyant

— Je t'ai dit, poursuivit Merlin, que la motivation du chercheur était de parvenir à voir — il y parvient vite. La sixième étape, la naissance du voyant, est d'emblée à la portée de tout chercheur. Chercher n'apporte en soi aucun épanouissement. La vie serait frustrante et monotone s'il fallait toujours chercher sans trouver. Heureusement, dans la volonté de

Dieu, toutes les questions sont résolues simultanément, tous les buts sont atteints dès le commencement. Dès que tu demanderas vraiment : « Où est Dieu ? » tu commenceras à entrevoir la réponse.

« Mais je ne veux pas te leurrer. La naissance du voyant est aussi révolutionnaire que toutes les étapes précédentes. Elle marque la fin de l'ego, la fin de toute dépendance extérieure. Imagine ta vie comme un film projeté sur un écran, tant que tu es dominé par l'ego, tu te concentres sur ces images mouvantes et tu les prends pour la réalité. Quand le chercheur l'emporte en toi, tu commences à prendre conscience de leur irréalité. Mais, avec la naissance du voyant, tu pivotes sur toi-même pour regarder la Lumière en face. L'image de soi révèle alors sa vraie nature : une projection inconsistante de l'ego, qui ne doit sa réalité qu'au vain acharnement de celui-ci à privilégier l'esprit et le corps temporels.

« Le voyant se projette au-delà de cette motivation et la désinvestit. Au lieu de te voir toi-même comme un sac de chair et d'os hébergeant un esprit — un fantôme à l'intérieur d'une machine —, tu comprends que tout est esprit. Le corps est l'esprit incarné dans une forme que les sens peuvent toucher, voir et sentir. L'esprit humain est l'esprit incarné dans une personne apte à communiquer avec autrui. L'esprit lui-même, sous sa forme pure, n'est aucune de ces formes et ne peut être perçu que par une intuition supérieure. Vous connaissez la phrase : "Ceux qui savent se taisent. Ceux qui parlent ne savent pas." Tel est le mystère de l'esprit.

— Mais n'en parles-tu pas en ce moment même ? demanda Galaad, embarrassé.

— Pas de la manière que tu penses. Quand je parle d'un rocher, tu peux le voir et le toucher. Quand je parle de l'esprit, je désigne un monde invisible. Ce monde envoie à nos âmes des flèches de lumière pour les enflammer, mais nous ne pouvons lui renvoyer des flèches de pensée.

— Tout cela semble bien mystérieux, marmonna Perceval.

— Une rose paraîtrait mystérieuse si tu n'en avais que l'idée et non la perception. L'esprit est une expérience directe, mais il transcende ce monde. Il est un pur silence abritant d'infinies possibilités. Quand vous apprenez, vous assimilez un certain savoir. Quand vous assimilez le savoir de l'esprit, vous devenez *le* savoir lui-même. Toutes les questions deviennent caduques parce que vous parvenez à la matrice de la réalité, lieu où tout *est*, purement et simplement. Quand le voyant perçoit quelque chose, il accepte simplement cette chose pour ce qu'elle est, sans la juger. Il ne ressent plus le besoin égoïste de prendre, de posséder ou de détruire. En l'absence de peur, de tels désirs ne peuvent surgir, car le besoin de posséder provient d'un manque. Quand il n'existe plus de manque à combler, le simple fait d'être, ici-bas, dans ce monde et dans ton corps, est le plus haut but spirituel que tu puisses te fixer.

Perceval et Galaad furent très frappés par ces quelques phrases de Merlin. Ils avaient attentivement écouté le début de son discours, mais l'ego, l'homme d'action et le donateur leur étaient maintenant tous familiers. Quand le magicien parla du chercheur, les deux chevaliers se virent eux-mêmes tels qu'ils étaient à ce moment. La description du voyant, cependant, les fascina comme s'ils étaient des explorateurs arrivant au sommet d'une montagne et découvrant une vaste contrée totalement inconnue et longtemps cherchée.

— Je brûle d'être ce voyant dont tu parles, déclara Galaad avec ferveur.

Merlin acquiesça.

— Cela signifie que tu es prêt. Pour un magicien il n'existe que trois sortes de gens — ceux qui n'ont pas encore expérimenté l'être pur, ceux qui en ont eu un avant-goût, et ceux qui l'ont exploré à fond. Tu as goûté et tu veux maintenant explorer. Pour toi, ce monde matériel va commencer à disparaître et à être submergé par la lumière de l'être. Dans un pays éloigné, l'Inde, on dit que la vie ordinaire pâlit devant Dieu comme une bougie, brillante dans une pièce obscure, devient invisible quand on l'expose à la lumière du jour. (Il se tourna vers Perceval.) Tu en es également à ce stade, quoi que tu penses de mon opinion sur toi.

Perceval devint écarlate et bégaya :

— À quoi ressemblera cette nouvelle vie ?

— À une nouvelle naissance, comme toujours. Le voyant diffère du chercheur, car il n'a plus à trier et à choisir. Le chercheur est encore le jouet d'une illusion tant qu'il affirme : « Ici Dieu est présent, là non. » Le voyant, au contraire, assimile Dieu à la vie elle-même. La longue guerre intérieure est enfin terminée et le combattant se repose. Au lieu de lutter, vous verrez tous vos désirs se réaliser naturellement et sans effort. Les voyants ne se distinguent pas par des signes particuliers, mais intérieurement ils se sentent ouverts et épanouis, ils laissent les autres être ce qu'ils veulent être, ce qui est la plus haute forme d'amour, ils ne s'opposent ni à autrui ni aux événements, et ils ont renoncé à tout sentiment du « Je ».

Septième étape : l'esprit

— Il est difficile d'imaginer une manière de vivre plus élevée, déclara Galaad après quelques instants, profondément ému par la description du voyant que venait de lui faire Merlin.

— Sois prudent avec ce mot d'*élevé*, l'avertit Merlin. C'est l'ego qui a des hauts et des bas. Le but de ta vie est la liberté et l'épanouissement. L'épanouissement sera atteint quand tu connaîtras Dieu aussi bien qu'Il se connaît Lui-même. Vous autres mortels désirez sans cesse des miracles, et je vous affirme que le plus grand miracle c'est vous-même, car Dieu vous a donné cette aptitude unique à vous identifier à Lui. Une rose parfaite ne sent pas qu'elle est une rose ; un humain épanoui sait ce que signifie être divin.

— Peut-on décrire cet état ? demanda Perceval.

— C'est la septième et dernière étape de l'alchimie, le pur esprit. Quand elle commence, le voyant découvre que ce qui semblait une joie et un épanouissement total est encore susceptible d'élargissement. Vois-tu, la confrontation avec Dieu n'est pas le terme de ta quête mais son commencement. Tu as commencé dans l'innocence et ainsi finiras-tu. Mais cette fois l'innocence est différente, parce que tu as acquis une connaissance intégrale, alors qu'un nourrisson n'a que des sentiments.

« Quand tu deviens capable de te voir toi-même comme esprit, ton identification à ce corps et à cet esprit individuels cesse. Simultanément les notions de naissance et de mort deviennent nulles et non avenues. Tu seras une cellule dans le corps de l'univers et ce corps cosmique sera aussi intime pour toi que l'est actuellement ton propre corps. C'est la description la plus précise que je puisse faire de ce qu'éprouve le magicien, car le terme de *magicien* est une autre façon d'appeler la septième étape.

« Comprends ceci : pour un magicien, la naissance est simplement l'idée que "j'ai ce corps", et la mort simplement l'idée que "je n'ai plus ce corps". Comme les magiciens sont délivrés de l'illusion de la naissance, leurs différents aspects physiques sont avant tout des combinaisons d'énergie, et toutes leurs apparences spirituelles, des combinaisons d'informations. Ces configurations sont en perpétuel changement. Elles évoluent sans cesse. Mais le magicien lui-même est inaccessible au changement. L'esprit et le corps sont semblables à des pièces dans lesquelles on pourrait décider de vivre, mais par intermittence.

« On n'atteint pas cet état à force de pensées ou de sentiments. L'esprit naît d'un silence absolu. Le dialogue intérieur de ton esprit doit cesser pour ne jamais reprendre, parce que l'éclatement du moi, qui a suscité ce dialogue intérieur, a cessé. Ton moi sera réunifié et, comme le bébé que tu as été autrefois, tu ne ressentiras plus ni doute, ni honte, ni culpabilité. Le besoin de dualité qu'éprouve l'ego a engendré un monde d'oppositions : Bien Mal, Vrai Faux, Lumière Ombre. Tu découvriras que ces contraires sont désormais réconciliés. Telle est la vision de Dieu car, où qu'Il regarde, il ne voit que Son propre reflet.

« Si tu as le sentiment que ce but est trop noble ou trop éloigné, voici un secret. Bien que tu aies franchi les sept étapes de l'alchimie, chacune d'elles était présente dès le départ. Dans l'innocence, Dieu était présent en totalité, comme Il l'est dans l'ego, dans l'homme d'action, dans le donateur ou dans le chercheur. La seule chose qui ait vraiment changé, c'est la direction de ton attention. Tous les aspects de l'univers sont présents dans ton être, aussi complets et éternels que l'univers lui-même. Mais la naissance à l'esprit constitue un événement bouleversant. Tandis que ton moi s'unifiera, tu deviendras de plus en plus familier du divin, jusqu'à ce que tu finisses par éprouver Dieu comme un être infini Se déplaçant à une vitesse incalculable à travers des dimensions infinies. Quand cette expérience impressionnante se produira, elle te paraîtra aussi simple et naturelle que d'être assis ici, sous les étoiles, mais tu deviendras alors chacune des étoiles qui dansent dans le ciel.

Comme cela arrive souvent quand les magiciens parlent, les deux chevaliers, transportés, éprouvaient les sensations précises qu'il décrivait. Galaad leva les yeux vers le ciel nocturne et eut soudain l'impression qu'il pouvait toucher les étoiles. Il fut submergé par le sentiment qu'il appartenait vraiment au monde.

« Nous sommes chez nous », se murmura Perceval à lui-même.

— Ne te laisse pas trop impressionner, murmura Merlin. Ces sensations t'atteignent avec une très grande intensité parce qu'elles sont nouvelles pour toi..., en vérité c'est ton état naturel. Être réconcilié avec le cosmos, intimement uni à la vie sous toutes ses formes, parvenir à ne faire qu'un avec son propre être, telle est votre destinée, le terme de votre quête.

— À la fin, nous revenons au commencement, murmura Galaad.

Merlin acquiesça.

— Oui. Chacun de vous commence par l'amour, traverse luttes, passions et souffrances pour retrouver enfin l'amour.

Merlin parlait de plus en plus doucement à mesure que se réduisait la clarté du cercle de feu qui les entourait.

— Vous autres mortels espérez des miracles, je vous annonce qu'en tant qu'enfants chéris de l'univers rien ne vous sera refusé. L'esprit est le miraculeux et celui-ci s'ouvrira à vous en trois phases.

« Primo, vous expérimenterez les miracles dans l'état que j'appelle "conscience cosmique". Tout événement matériel aura une cause spirituelle. Toute circonstance particulière aura des répercussions universelles. Votre souhait le plus infime déclenchera des forces cosmiques qui pourvoiront à sa satisfaction. Aussi merveilleux que cela paraisse, cet état n'est pas si éloigné car, longtemps avant d'atteindre la conscience cosmique, vous aurez pris l'habitude de voir vos désirs spontanément exaucés.

« Secundo, vous accomplirez des miracles dans l'état de "conscience divine". C'est l'état de pure créativité, dans lequel vous fusionnez avec la puissance divine, qui engendre les mondes et tout ce qui arrive dans ces mondes. Cette puissance ne provient pas d'un acte de Dieu : elle n'est que la lumière de Sa conscience. Tout ce que vous percevrez sera baigné d'un halo intense et doré, celui de la conscience divine. Le monde s'illuminera de l'intérieur, et sa substance même deviendra une manifestation de l'esprit. Dans la conscience divine vous reconnaîtrez en vous le créateur, et non le créé, celui qui donne la vie, et non celui qui la reçoit.

« Tertio, vous deviendrez le miracle, dans l'état d'"unité de la conscience". À ce stade, toute distinction entre le créateur et sa créature est abolie. L'esprit qui est en vous se confond totalement avec l'esprit de tout ce qui existe.

Votre retour à l'innocence est universel car, comme le bébé qui touche le mur ou son lit et ne sent que lui-même, toute action exprimera pour vous l'omniprésence de l'esprit. Votre vie culminera dans un savoir et une conscience parfaits. Vous semblerez toujours demeurer dans votre corps, mais celui-ci ne sera qu'une parcelle d'être, un grain de sable sur le rivage de cet immense océan d'être avec lequel vous ne faites qu'un.

Les deux chevaliers n'avaient aucune idée du temps qu'avait duré cet exposé de Merlin. Il leur semblait avoir été transportés dans un espace où les sphères de l'être s'ouvraient l'une après l'autre comme la corolle d'une fleur. Et, tandis que s'ouvrait le dernier pétale, ils aperçurent un diamant presque transparent pivotant au centre de la fleur.

« Qu'est-ce que c'est ? » voulut demander Galaad, qui ne put articuler sa question.

— *Voici le Graal,* murmura Merlin. Le développement de votre quête vous a conduits à une vision du but — le point de pure lumière, l'essence du diamant qui brûle au fond de votre âme.

Les deux chevaliers s'agenouillèrent sur le sol gelé et prièrent de tout leur cœur pour se montrer dignes de cette vision.

— Conservez pieusement le souvenir de ce moment, leur enjoignit Merlin. Je vous ai conduits ici conformément à votre plus cher désir mais, au-delà de cette vision, il vous reste encore à conquérir le vrai Graal par vous-mêmes.

— Le vrai Graal ? murmura Perceval. Devons-nous rechercher cette même image ?

— N'attends rien, garde-toi d'anticiper, avertit Merlin, alors que la vision du Graal commençait à disparaître. L'homme cherche des symboles, mais les symboles changent selon les époques. Ce que je vous ai montré, par contre, n'est pas un symbole mais la vérité. Le Graal est un éclat de cristal de l'être, qui se trouve dans votre cœur. Ses facettes projettent de pâles reflets de lumière qui engendrent toutes les facultés de l'esprit et du corps que vous percevez par vos sens. En tant que reflets elles sont réelles, mais le diamant transparent de l'être pur est infiniment plus réel que ces reflets.

Merlin bâilla inopinément et renversa la tête en arrière comme si c'était l'acte le plus réjouissant au monde. Il étira ses longs bras et se leva. L'obscurité était à présent presque totale, le feu complètement éteint, mais Perceval et Galaad sentaient le regard de Merlin fixé sur eux. Il déclara :

— Un jour vous vous rappellerez cette nuit et vous demanderez : « Qui es-tu, Merlin ? » Par-delà le royaume du temps voici ma réponse : Je suis celui qui n'a nul besoin de miracles. Je suis un magicien et, pour moi, exister ici-bas est assez miraculeux. Qu'est-ce qui pourrait être plus miraculeux que la vie elle-même ?

Les dernières braises s'éteignirent et le vieillard s'éloigna. Perceval et Galaad restèrent immobiles et silencieux. Ils étaient encore sous le charme du discours de Merlin et, quand il commença à se dissiper, tous deux frissonnèrent en revenant à eux. Aux premières lueurs de l'aube, ils se mirent en route vers le château et aperçurent, dans les rayons dorés du petit jour, le roi Arthur, debout à la fenêtre de son appartement royal, qui les regardait fixement.

— Crois-tu que nous devrions lui parler de ceci ? demanda Perceval en montrant le château.

Galaad secoua la tête.

— Je suis certain que le roi sait ce qui est arrivé ; cela a dû lui arriver, sinon, pourquoi rechignerait-il tant à évoquer le Graal ? Mais je voudrais, comme toi, frère chevalier, qu'Arthur comprenne que nous l'accompagnons dans cette quête de Merlin. Appelons cette nuit la nuit de la grotte de cristal. Le roi comprendra de quoi il s'agit.

Et, bien qu'ils n'aient pas passé la nuit dans une grotte, mais dehors, sous le dais du ciel étoilé, Perceval accepta aussitôt.

REMERCIEMENTS

Je voudrais exprimer mon amour et ma gratitude aux personnes suivantes : d'abord, et surtout, à mon ami de longue date, qui est également mon conseiller et mon éditeur, Peter Guzzardi. Peter, tu es le meilleur! À ma famille d'Harmony Books, ensuite, et notamment à Shaye Areheart, Patty Eddy, Tina Constable, Leslie Meredith, Chip Gibson et Michelle Sidrane. Merci à Rita, Mallika et Gautama Chopra d'être l'expression vivante des principes exposés dans ce livre. À Ray Chambers, Gayle Rose, Adrianna Nienow, David Simon, George et Olivia Harrison, Naomi Judd, Demi Moore, Alice Walton, Donna Karan et sœur Judian Breitenbach, pour le courage avec lequel ils ont adhéré à une vision qui transcende les limites ordinaires.

PRÉSENCE DE DIEU
Neale Donald Walsch

Une sagesse extraordinaire nous entoure et nous guide

Suite à l'immense succès de *Conversations avec Dieu*, Neale Donald Walsch a donné un séminaire qui synthétise les idées essentielles de ses livres et donne une portée pratique à ses enseignements. *Présence de Dieu* en est la retranscription.

Le Dieu dont parle Neale Donald Walsch est un Dieu à la sagesse infinie. Il est ce Dieu dont nous rêvons tous : aimant, compréhensif, sensé, plein d'humour. Dieu souhaite que nous soyons heureux et que nous ne culpabilisions pas pour rien. Il est très loin d'un Dieu moralisateur. Néanmoins, il nous exhorte à ne pas laisser le temps filer et à prendre notre vie en main… avec son aide.

Présence de Dieu vous indiquera comment appliquer au quotidien les principes spirituels pour avoir une vie abondante, développer des relations amoureuses et amicales harmonieuses, être en meilleure forme, etc. Un livre fascinant et inspirant pour réussir pleinement sa vie sans culpabilité.

NEALE DONALD WALSCH

Auteur de *Conversations avec Dieu*, le premier tome d'une série de trois livres au retentissement mondial, Neale Donald Walsch témoigne de l'existence de Dieu à travers ses écrits et ses séminaires. Il est le président d'une fondation à caractère non lucratif dont le but est d'aider les gens à développer leur spiritualité.

LE GUIDE DE LA MAGIE BLANCHE
Éric Pier Sperandio

Rituels, invocations et recettes de sorcières

La magie blanche est l'art d'attirer à soi les influences positives et de modifier favorablement n'importe quelle situation : amoureuse, professionnelle ou financière. Il ne s'agit ni de superstition ni d'illusionnisme. La magie blanche est un savoir ancestral qui se base sur les lois d'un univers invisible ignorées d'une majorité de gens.

Des énergies naturelles existent dans l'air, la terre, l'eau, le feu, les plantes, les pierres. En libérant et en canalisant ces énergies, il est possible de créer l'harmonie dans sa vie et celle des autres. Une pratique que les sorcières et les mages ont mis des siècles à élaborer et à perfectionner.

À l'aide de ce guide, vous serez initié pas à pas à la magie, depuis la création de votre autel et du cercle magique à l'utilisation des herbes et des chandelles. Vous pourrez alors réaliser des invocations aux anges et aux déités, des bains rituels et des recettes secrètes pour attirer amour, argent et succès, et résoudre les problèmes qui vous préoccupent. Un guide pratique et indispensable pour développer la puissance de sa pensée et se mettre au diapason des énergies supérieures.

ÉRIC PIER SPERANDIO

Diplômé en lettres, journaliste de profession, Éric Pier Sperandio est l'auteur de nombreux articles et ouvrages sur l'ésotérisme et l'occultisme. Ses écrits sur la magie rencontrent un grand succès.

5029

Achevé d'imprimer en France (Malesherbes)
par Maury-Imprimeur le 30 juin 2009.
Dépôt légal juin 2009. EAN 9782290339930
1er dépôt légal dans la collection : octobre 1998

Éditions J'ai lu
87, quai Panhard-et-Levassor, 75013 Paris
Diffusion France et étranger : Flammarion